suhrkamp taschenbuch 224

Barbara Frischmuth, geboren 1941 in Altaussee (Steiermark), studierte Orientalistik, außerdem die Sprachen Türkisch und Ungarisch. Sie lebt derzeit als freie Schriftstellerin in Marchfeld (Niederösterreich). Veröffentlichungen: *Die Klosterschule,* 1968; *Amoralische Kinderklapper,* 1969; *Geschichten für Stanek,* 1969; *Tage und Jahre* 1971; *Rückkehr zum vorläufigen Ausgangspunkt,* 1973; *Das Verschwinden des Schattens in der Sonne,* 1973. Außerdem Kinder- und Jugendbücher, Hörspiele und Puppenspiele. Übersetzungen aus dem Türkischen und Ungarischen.

Zum Erscheinen der *Amoralischen Kinderklapper* 1969 schrieb Peter Bichsel für den Norddeutschen Rundfunk: »Barbara Frischmuths *Amoralische Kinderklapper* unterscheidet sich von allem, was bisher über Kinder geschrieben wurde. Es ist keine Übertreibung, wenn ich sage, daß es für mich überhaupt das erste literarische Buch über Kinder ist, ein Buch, das über Kinder informiert, das nicht einfach aus sentimentalen Mutmaßungen über die eigene Kindheit zusammengebaut ist, sondern Beobachtungen, Erfahrungen und sicher auch Kenntnisse der modernen Kinderpsychologie verarbeitet. Die *Amoralische Kinderklapper* ist ein echtes literarisches Ereignis. Es gibt im ganzen Buch keinen Satz, der nicht ausschließlich sich selbst meint . . . Die Spiele der *Amoralischen Kinderklapper* sind böse Spiele, abgrundgefährliche; von jener Gefährlichkeit, wie sie nur Kinder ertragen . . . Barbara Frischmuth hat – vielleicht wie noch niemand vor ihr – die Sprache der Kinder entdeckt.«

Barbara Frischmuth

Amoralische Kinderklapper

Mit neunzehn Zeichnungen
von Walter Schmögner

Suhrkamp

suhrkamp taschenbuch 224
Erste Auflage 1975
© Suhrkamp Verlag Frankfurt am Main 1969
Suhrkamp Taschenbuch Verlag
Alle Rechte vorbehalten, insbesondere das des öffentlichen
Vortrags, der Übertragung durch Rundfunk oder Fernsehen
und der Übersetzung auch einzelner Teile.
Druck: Nomos Verlagsgesellschaft, Baden-Baden
Printed in Germany
Umschlag nach Entwürfen
von Willy Fleckhaus und Rolf Staudt

Jedoch die treflichen Moralen sind bey der Jugend
Nullen ohne Zahlen.

aus *Moralische Kinderklapper* von J. Karl August Musäus, Gotha 1794

(hoffentlich !)
viel Spaß beim
Lesen

Dezember
1978

Jutta

Wie die Rede
auf den Tod kommt

Annemarie steht vor den Kindern:
Wir wollen alle auf das große Haus zulaufen, über die
Steinstufen hinauf zum hellgrünen Tor des Speisesaals,
dessen rechten Flügel wir mit der linken Hand dreimal
berühren. Dann wollen wir in jedes der beiden Buchs-
baum-Rondeaus links und rechts vor dem Tor flitzen,
uns auf die Bänke setzen, wieder aufspringen, einen
Kieselstein suchen und mit dem Kieselstein in der
Hand, auf einem Bein in die Mitte des Gartens, zum
Brunnen hinhüpfen und den Kieselstein auf den Brun-
nenrand legen. Anschließend wollen wir fünfzehn
Kniebeugen machen, zehnmal mit den Armen rudern,
fünfmal die Beine grätschen, einmal ins Wasser spucken
und uns dann in Größenordnung aufstellen, den Blick

auf die uns zugekehrte Front des Hauses richten und zählen, ein jeder etwas, Robert die Stockwerke, Lydia die Türen, Melchior die Balkons, Paula die Fenster, Leo die Fensterscheiben, und ich zähle alles zusammen. Dann wollen wir gemeinsam überprüfen, ob das Richtige herauskommt.

Nein, das wollen wir nicht, sagen die Kinder, fallen um und beißen ins Gras.

Bin ich froh, sagt Annemarie, jetzt brauch ich mich nicht mehr um euch zu kümmern.

Da spucken die Kinder das Gras wieder aus und fragen, wenn wir aber die Maulseuche bekommen?

Papperlapapp, sagt Annemarie und klopft bekräftigend auf den Busch.

Und ein paar Krähen, die auf dem benachbarten Feld Futter suchten, fliegen auf, flattern krächzend über die Leiber der Kinder und setzen sich auf die Bäume und Sträucher des Gartens.

Ich werde euch keine Träne nachweinen, sagt Annemarie und streut sich wie in Gedanken etwas Sand in die Augen.

Da kommt Herr Wimmer über die Wiese gegangen, die Backen gebläht zu einem Pfiff, den er erst bei seiner Ankunft ausstößt. Ich hab mir schon die Augen nach euch ausgeschaut, sagt er und reinigt seine Brille mit dem Sacktuch.

Annemarie schlägt die Hände vors Gesicht. Sie kommen gerade recht, Herr Chef.

Wieso? Herr Wimmer hat sich soeben die Brille wieder aufgesetzt und blickt erstaunt um sich.

Da, sehen Sie sich die Kinder an.

Nein, so was!

Ja, so wars. Aber fassen Sie sich Herr Chef, das Ganze ist kaum der Rede wert.

Da geht Herr Wimmer sich den Kopf reibend seines Weges.

Annemarie aber bückt sich, als sie Herrn Wimmer hinter den Bäumen verschwinden sieht, nach einem Maulwurfshügel, nimmt etwas Erde davon und läßt auf jedes der Kinder ein paar Krumen fallen. Dann geht auch sie.

Sie hat vergessen, daß die Toten vor der Beerdigung gewaschen werden müssen, daß man ihnen die Haare und die Nägel abschneidet, sagen die Kinder und brüllen, züngeln, heulen, muhen und mampfen. Also finden wir keine Ruhe. Wir werden nachts umgehen und Annemie mit unseren ungeschnittenen Nägeln kratzen.

Ich weiß was, sagt Leo.

Was? fragen alle.

Was ihr nicht wißt, sagt Leo.

Sag, sagen alle.

Wir lassen sie über die Klinge springen.

Alle hören zu.

Und Leo macht das Zeichen für ›kommt‹.

Zuerst wollen wir aber spuken, sagt Poppa, die lange Python.

Leo erhebt Einspruch. Wir müssen bis Mitternacht in unseren Gräbern bleiben.

Plötzlich sagt Freund Mowglie, wir sind gar nicht in unseren Gräbern, sie hat uns bloß beerdigt. Und die Erde können wir mitnehmen.

Wie? fragen alle.

Steckt den Daumen in den Mund und wenn er naß ist,

nehmt ihr ihn wieder heraus und tunkt ihn in die Erde. So geht es am einfachsten.

Libby-Kuh wundert sich, können denn Tote ihren Daumen in den Mund stecken?

Sie können, sagt Leo, und damit punktum.

Alle stecken den Daumen in den Mund und tun, was ihnen geheißen wurde. Dann steht Leo auf und alle anderen ebenfalls. Sie gehen in Prozessionsordnung auf das kleine Haus zu, in es hinein und die Treppen empor, ohne einer lebenden Seele zu begegnen. Im Kinderzimmer holt Leo die alte Rasierklinge aus ihrem Versteck und legt sie vor den neugierigen Blicken der anderen auf die Türschwelle. Darüber legt er das Buch ›Wolfsblut‹. Dann muß Rhesus sich auf den Boden werfen und schreien, so laut wie damals, als er in die leere Sardinenbüchse getreten war.

Schon hört man, wie Annemarie die Treppen heraufläuft. Ihre Absätze klopfen den Boden, sie reißt die Tür auf, springt ohne zu zögern über die Klinge und auf Rhesus zu, der sofort ruhig ist.

Da sagt Annemarie während sie sich um und um schaut, was mag das gewesen sein? Wenn ich nicht wüßte, daß ihr unter der Erde seid, hätte ich mir nichts anderes denken können, als daß Robert in eine leere Sardinenbüchse getreten ist. So aber kann ich euch nicht einmal sehen.

Du siehst uns, sagt Leo. Wir haben dich über die Klinge springen lassen und jetzt bist du genauso tot wie wir, nur daß dich noch niemand beerdigt hat. Du bist sogar ärger dran als wir, die wir bloß nicht gewaschen sind und denen bloß niemand die Nägel geschnitten hat.

Und alle sehen nach ihren Daumen, aber da ist nicht mehr viel dran, und so stecken sie sich die letzten Erdkrumen zur Sicherheit ins Ohr.

Und jetzt spuken wir, sagt Rhesus, ja? und spuckt sich einen Spuckerling vor die eigenen Füße.

Das können wir erst um Mitternacht, fährt Leo ihn an.

Und was machen wir bis es Mitternacht wird?

Wir schlagen die Zeit tot.

Wie wollt ihr das denn machen, das könnt ihr doch gar nicht, sagt Annemarie.

Wenn wir wollen, können wir, antwortet Freund Mowglie.

Ich weiß was Besseres. Annemarie steht vom Boden auf und holt den Wecker von der Kommode. Es genügt doch, wenn wir den Zeiger nach vor richten.

Du mogelst, sagt Freund Mowglie, und Tote sollten sich wirklich schämen, so etwas zu tun.

Da räkelt sich Poppa, die lange Python, und sagt, ich weiß noch was Besseres, wir spielen als ob.

Als ob was? fragen die anderen.

Hört her. Es ist als ob es schon finster wäre, als hätte es eben zwölf geschlagen und wir wären auferstanden.

Es ist aber nicht als ob, sagt Annemarie, wir wollen doch nur so tun als ob.

Wenn wir so tun als ob, dann ist es als ob, sagt Leo, und du hast überhaupt nichts zu reden, denn du bist noch lang nicht so lang tot wie wir. Ich höre und gehorche, sagt Annemarie und stellt den Wecker zurück auf die Kommode.

Da es bekanntlich nur in Schlössern spukt, sagt Leo, brauchen wir in erster Linie ein Schloß.

Da schweigen alle eine Weile und denken still und für sich nach. Freund Mowglie sagt als erster etwas. Ich könnte mir durchaus vorstellen, daß das große Haus drüben ein Schloß ist, zumindest ein Jagdschloß.

Es ist, als ob es ein Schloß wäre, bestimmt Poppa, die lange Python, und es ist als ob es Mitternacht wäre, als ob wir gerade zu spuken begännen, eine weiße Schleppe um die Schultern hätten und durch jede Tür hindurch könnten. Es ist als ob wir durch die Gänge huschten, an den Türen kratzten, an die Fenster klopften, stöhnten, ächzten und wimmerten. Es ist als ob sich die Gäste in den Betten aufrichteten, als hätten sie kleine Schweißtropfen auf ihren Oberlippen und als würden sie versuchen, nach den Lichtschaltern zu greifen, sie aber vor Angst nicht finden können. Und es ist, als ob niemand sich zu rufen getraute, obwohl alle es hören, das sonderbare Geräusch, wie die Türen sich knarrend öffnen, ohne daß jemand gesehen wird, und die Nachthemden und Pyjamas würden an den Rücken der Gäste festgeklebt sein.

Und wie wir schon eine Weile unterwegs sind, ist es, als ob da noch jemand spukte, nämlich Großmama, die uns gar nicht gekannt hat, die aber hocherfreut ist, uns endlich kennenzulernen. Und sie verspricht, uns die Stelle zu zeigen, an der sie ins Wasser gestürzt und ertrunken ist, weil das doch niemand mit Bestimmtheit gesehen hat. Dann ist es aber plötzlich, als ob einer der Gäste einen Schrei ausgestoßen und ein anderer den Lichtschalter gefunden hätte und als ob alle gleichzeitig auf die Gänge rauslaufen und einander fragen würden, ob sie es auch gehört hätten, ohne daß sie jemanden oder etwas würden finden können.

Wenn es dann aber ist, als ob Mitternacht schon vorüber wäre, lädt Großmama uns auf den Friedhof ein. Sie sagt, es bestünde die Möglichkeit, uns in einem der leerstehenden Gräber unterzubringen, das könne sie schon für uns tun, wo wir doch mit ihr verwandt wären. Nur bei Annemie, die nicht mit ihr verwandt und auch noch nicht beerdigt ist, gäbe es vielleicht Schwierigkeiten.

Ihr wollt mich also links liegen lassen, sagt Annemarie mit einer traurigen Stimme.

Und Leo sagt, das wird sich erst zeigen. Du hast ja gehört, daß es ist, als ob es vielleicht Schwierigkeiten gäbe, weil du noch nicht beerdigt bist.

Das ist in der Tat schwierig, sagt Libby-Kuh, wenn wir nämlich so tun, als ob es vielleicht keine Schwierigkeiten gäbe, könnte ja jeder kommen und sich zu uns legen wollen. Wo wir doch schon zu fünft sind.

Zu viert, sagt Annemarie, Melchior ist doch auch nicht mit euch verwandt.

Ich gehör aber dazu, schreit Freund Mowglie.

Das tut er, sagen Poppa, die lange Python, und Libby-Kuh, eine nach der anderen und legen freundschaftlich je einen Arm um Freund Mowglies Schulter. Für ihn haben wir immer Platz.

Papperlapapp, sagt Annemarie, wenn ich keinen Platz in eurem Grab bekomme, ist mir das auch schnurzegal. Aber wenn ich mir vorstelle, daß ich jetzt zum Abendessen gehen könnte, hättet ihr mich nicht über die Klinge springen lassen, so ist mir das schon viel weniger schnurzegal.

Und Rhesus sagt, das könnten wir alle, wenn wir nicht unter der Erde wären.

Ja, das könnten wir, sagen alle, aber wir können nicht. Da hören sie, wie jemand die Treppe heraufkommt. Laut und lauter werden die Schritte, bis Herr Wimmer über die Schwelle tritt und dabei über die Klinge stolpert, seufzt und dann sagt, Kinder beeilt euch, das Abendessen ist aufgetragen. Wenn ich euch sage, was es gibt, rinnt euch das Wasser im Mund zusammen.

Aber die Toten schweigen.

Da versucht Herr Wimmer es noch einmal. Er spannt seine Muskeln an, daß die Nähte der Rockärmel knakken und sagt, ich habe soeben die Suppe gekostet, sie ist so kräftig, daß sie sogar Tote zum Leben erweckt. Das ist gerade das richtige, sagt Annemarie und folgt Herrn Wimmer beispielgebend ins Eßzimmer.

Die Kinder aber sind standhaft und müssen teils an den Händen, teils an den Haaren zu Tisch gezerrt werden.

Afrika

Als ob wir gern essen würden, wenn gerade Essenszeit ist.

Als ob es so lustig wäre, in Regenmänteln zu gehen, wenn es tagelang regnet.

Als ob wir etwas darum gäben, uns die Nägel schneiden zu lassen, wenn sie lang geworden sind.

Als ob es unbedingt nötig wäre, jeden Morgen die Schuhe zu putzen und sich jeden Abend die Füße zu waschen.

Als ob wir es besonders schätzten, immer gleich ein Glas Milch vorgesetzt zu bekommen.

Als ob es sein müßte, daß man uns nachts des öfteren zudeckt, wenn wir uns abgedeckt haben.

Als ob wir keine Augen im Kopf hätten, um zu sehen, was wir nicht sehen sollen.

Als ob wir keine Ohren im Kopf hätten, um zu hören, was so gesprochen wird.

Als ob es uns egal wäre, wenn wir ohne Essen ins Bett müssen.

Als ob es keinen Unterschied gäbe, zwischen lügen und gar nichts sagen.

Als ob wir immer froh wären, wenn es heißt, ihr könnt froh sein.

Als ob wir nichts anderes wüßten, als klein und fein zu sein.

Als ob es nur darum ginge, daß wir uns bemühten, pünktlich zu sein.

Als ob wir dennoch ein Geschenk Gottes wären oder Gott jemanden mit uns gestraft hätte.

Als ob etwas dabei wäre, wenn wir widersprechen oder unsere Teller nicht leer essen.

Als ob wir einfach zusehen müßten, wenn unsere Eltern sichs gut gehen lassen.

Als ob es sich nur um das Heil unserer Seele und die Geradheit unserer Glieder drehte.

Als ob wir was dafür bekämen, wenn wir Abend für Abend unser Gewissen erforschen.

Als ob es keinen Sinn hätte, die Ermahnungen in den Wind zu schlagen und nicht aufs Wort zu gehorchen.

Als ob wir es nie bös gemeint hätten.

Als ob es gar nicht wahr wäre, daß wir schlecht träumen und dann was Kaltes trinken möchten.

Als ob es uns solchen Spaß machen würde, noch immer im Sand zu spielen, sagt Leo und reibt sich die Augen. Annemarie sitzt auf dem Balkon und strickt eine

Strumpfhose. Eber sitzt daneben, hält den Wollknäuel und macht einhändig Knoten in den Faden, die er zwei-händig wieder auflöst.

Die Kinder hocken unterm Balkon auf dem Sandhau-fen. Sie sind nicht wild. Aber es kommt vor, daß sie sich auf die Finger treten, sich Sand in die Augen streuen, einander an den Haaren ziehen und um herumliegende Gerätschaften, wie Hämmer, Nägel, Beißzangen und Fuchsschwänze streiten.

Wir könnten uns einen Bau bauen, sagt Freund Mow-glie und gräbt ein Loch.

Libby-Kuh hämmert auf ihren umgestülpten Sandkü-bel. Wer von uns soll denn in dem Bau wohnen?

Wer wohl? fragt Leo, den der Sand schon in der Nase kitzelt.

Wehr wohl? fragt Poppa, die lange Python.

Dann sitzen alle eine Weile stumm und dumm da.

Plötzlich macht Leo das Zeichen für ›kommt‹ und das Zeichen für ›haltet den Mund‹ und das Zeichen für ›Gänsemarsch‹. Und alle trotten ihm nach, hinters Haus.

Also, sagt Leo, wir spielen Afrika.

Poppa, die lange Python, hält Rhesus gleich den Mund zu. Er sieht aus, als hätte er keine Lust, Afrika zu spie-len. Am Tor der halbverfallenen Garage, die schon seit langem leer steht, ist noch ein groß geschriebenes A zu sehen. Die Kinder gehen hinein. Sobald ihre Augen sich an die Dunkelheit gewöhnt haben, nimmt jedes seinen Platz ein, entweder auf einem der herumliegenden alten Pölster oder auf der Matratze, aus der fladenweise das Roßhaar klafft.

Wir sind nun glücklich bei der Futterstelle angelangt, sagt Leo, wir werden also zuerst unseren Hunger und dann unseren Durst stillen.

Ja, sagen die anderen und brechen handtellergroße Scheiben aus dem abbröckelnden Kalk der Garagenwand. Ihre Zähne knirschen beim Kauen.

Und jetzt, sagt Leo, indem er sich Mund und Hände abwischt, werden Freund Mowglie und ich euch zur Tränke führen. Daß sich niemand vordrängt. Es herrscht eine furchtbare Trockenheit, daher können wir unsere brennenden Zungen nicht in fließendem Wasser kühlen, sondern müssen mit stehendem vorliebnehmen. Aber ich habe dafür gesorgt, daß alle ihr Auslangen finden. Seid ihr soweit?

Ja, sagen die anderen Kinder. Da erheben sich Leo und Freund Mowglie von ihren Plätzen, gehen zur gegenüberliegenden Garagenseite, über der sich ein Loch in der Decke befindet, durch das der nackte Himmel hereinscheint, und kommen mit einer blechernen Waschschüssel zurück, die bis an den Rand mit Regenwasser gefüllt ist.

Trinkt jetzt, sagt Leo. Da knien sich alle im Kreis um die Schüssel nieder und schlürfen mit den Lippen, ohne die Hände zu gebrauchen, das Wasser in sich hinein. Als auch der letzte Tropfen aufgeleckt ist, halten alle ihren Bauch und lassen sich auf die Matratze fallen, schnurren, knurren, zischen, muhen und schmatzen, während sie sich die Kalkreste und die Nässe aus den Mundwinkeln wischen.

Nach einer Weile sagt Leo, und nun, da wir unseren Hunger und unseren Durst gestillt haben, da wir die vorgeschriebene Ruhe eingehalten und in Frieden verdaut haben, können wir übereinander herfallen.

Da schreit Rhesus, ich mag nicht, daß ihr ständig immer über mich herfallt.

Die anderen aber antworten, wer sagt denn, daß wir über dich herfallen, wir fallen übereinander her.

Ihr fallt ständig immer über mich.

Das kann nur sein, sagt Libby-Kuh, weil du der Kleinste und auch der Dickste bist und man auf dich am weichsten fällt. Wenn du aber nicht willst, kannst du ja davonlaufen.

Poppa hält mich fest.

Laß ihn los, sagt Leo, gib ihm eine Chance, er kommt nicht weit.

Husch, sagt Poppa, die lange Python, und läßt Rhesus los.

Rhesus rührt sich nicht.

Lauf schon, rufen die anderen, mach keine Faxen.

Ich mag nicht, sagt Rhesus. Wenn ich nicht laufe, dann gehts nicht. Dann seid ihr feig.

Affe, sagt Leo. Hier ist niemand feig. Und jetzt lauf, sonst bleiben wir hier sitzen, bis du es nicht mehr aushältst.

Ich halt es aber aus. Ich halt es bis morgen früh aus.

Gib nicht an, knurrt Freund Mowglie, in spätestens einer Minute läufst du.

Läufst du oder läufst du nicht? fragt Leo.

Ich halt es aber aus. Rhesus weint schon fast. Sein Kopf schnellt hin und her, während er mit den Schultern ängstlich nach vor zuckt und die Hände an die Knöchel legt, um sich besser abstoßen zu können.

Dann kitzelt ihn, sagt Leo. Wir werden dirs schon zeigen. Wenn du zu laufen hast, läufst du, ist das klar? Und gleich darauf windet sich Rhesus kichernd und quietschend, nicht einmal weglaufen kann er, so krümmt sich sein Körper in Abwehr.

Ich lauf schon, laßt mich laufen, gurgelt er. Und von irgendwoher kommt ein Stoß, der ihm die nötige Anlaufgeschwindigkeit gibt.

Da läuft Rhesus und hinter ihm hört es sich an wie Donnern der Hufe und Trappen der Läufe, wie die ganze Meute so hinter ihm herstürzt. Noch bevor er das Tor erreicht, ist er zu Fall gebracht und es schnellt über ihn hinweg, tappt auf ihn zu, trampelt auf ihm herum, läßt sich mit aller Wucht auf ihm nieder, beißt mit den Zähnen in sein Gewand, zieht an seinen Armen und Beinen, reißt an seinem Haar, bis ihm Hören und Sehen vergehen, und ihm nur mehr heiß ist unter all den Leibern. Es dauert eine Weile, bis die Hitze nachläßt, bis Rhesus wieder richtig Atem holen kann und um sich sieht. Da heben sie ihn auf, zupfen ihm die Kleider zurecht, streichen ihm das Haar glatt, stellen ihn auf die Beine.

Du warst großartig, sagt Leo, besser als je zuvor.

Wenn du willst, schenk ich dir heute beim Nachtmahl meinen Pudding, sagt Poppa, die lange Python, ich reiß mich gar nicht drum. Und sie schlingt ihren Arm fest um Rhesus und zieht ihn mit sich, hinaus ins Freie.

Sperr die Garage zu, sagt Leo zu Freund Mowglie, ich will nicht, daß sich jemand hier einnistet. Und er steckt sein Hemd in die Hose, fährt sich mit den Fingern durch die Mähne und bückt sich dann nach seinen Schuhbändern.

Ich hab mir ganz schön den Lauf verbogen, sagt Freund Mowglie, als er das Garagentor zugesperrt hat und reibt einen Arm am anderen.

Unter vorherrschender Eintracht gehen die Kinder gemeinsam zum Sandhaufen zurück und beginnen sich darauf herumzuwälzen, daß ihnen der Sand nur so aus den Nasenlöchern spritzt.

Die Kernfrage

Leo liegt die Welt zu Füßen. Er hält einen Löwenzahn in der Hand und steckt eine Zwetschke in den Mund. Sein Gesichtsfeld wird von den Brettern des Balkons begrenzt, Leo sieht hinaus.

Hab ich auf Stein oder hab ich auf Holz gebissen, fragt Leo. Es gibt Steinobst und Kernobst. Die Zwetschke gehört zum Steinobst, ihr Kern ist aus Holz und hart wie Stein. Während der Apfel zum Kernobst gehört, sein Kern ist geschmeidig und schmeckt gut. Der Stein des Steinobstes heißt ebenfalls Kern, er ist weder elastisch, noch schmeckt er gut. Er schmeckt nach Blausäure, man kann ihn knacken, wie eine Nuß, wie eine harte Nuß.

Ich werde die Nuß schon knacken, hat Annemarie zum Vater gesagt und die gute Mutter antwortete hinter der vorgehaltenen Hand, Leo hat eine rauhe Schale, aber einen weichen Kern.

Du bist kerngesund und goldrichtig, sagt Leo zu Leo, ein richtiger Bub. Wenn du dich längere Zeit still hältst, sorgen sich die Eltern um dich und glauben, daß du krank seist. Das ist ganz in Ordnung. Du mußt dich tagsüber austoben, am Abend recht müde sein und einen gesunden Schlaf schlafen. Nur so kann was aus dir werden. Ein gesundes Kind ist Gold wert.

Leo bläst den Löwenzahn an. Die Samen fliegen durch die Bretter des Balkons und gehen über dem Wäscheaufhängplatz nieder.

Wenn es ein Stein wäre, sagt Leo, während er den Zwetschkenkern betrachtet, hätte ich mir den Zahn dran ausgebissen. Es ist aber kein Stein, ich werde mir also den Zahn selber ziehen müssen. Leo greift nach seinem Zahn, dreht ihn ein wenig nach links und dann ein wenig nach rechts.

Ich werde dir den Zahn schon ziehen, sagt Leo zu Leo. Der Zahn muß weg. Du hast ihn lang genug im Mund gehabt, es ist Zeit, daß du ihn zum alten Eisen wirfst.

Was? fragt Leo.

Leo denkt eine Weile nach. Dann sagt Leo zu Leo, ich kann den Zahn hinwerfen, wohin ich will.

Wieso? fragt Leo.

Ich kann, sagt Leo, alles, was im Haus oder im Garten rostig ist, zusammentragen und den Zahn dazuwerfen.

Dann ja, sagt Leo.

Leo hat den Zwetschkenkern auf seinem Knie liegen. Seine rechte Hand steckt in seinem Mund und zieht an dem Zahn. Leo kann die Schatten der Wolken über die

Wäscheleinen laufen sehen. Die anderen Kinder spielen im Garten Verstecken, er kann hören wie sie auszählen.

Ene, bene, sagt Leo zu Leo, du hast einen weichen Kern.

Unke, funke, und eine rauhe Schale.

Wieso, fragt Leo.

Nappe, schnappe, das heißt, so wie. Du bist so, wie wenn du einen hättest.

Tippe, tappe, sagt Leo, also doch eine Nuß.

Kase, mappe, eine harte Nuß, ule, hart, wie, bule, Rost.

Dann beiß dir, iß, aß, den Zahn dran aus. Und, Leo zieht plötzlich und fest an seinem Zahn, du liegst draußt, daß er unter Krachen nachgibt und sich herausnehmen läßt, während Leo den Mund voller Blut hat.

Dann legt Leo den Zahn neben den Zwetschkenkern.

Ene, bene, sagt er, jetzt hab ich dich.

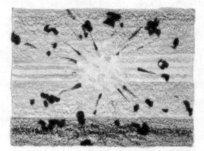

Der Leichenschmaus

Wir haben einen Großvater gehabt, sagt Poppa, die lange Python, zu den fremden Kindern. Er war groß und dick und unser Lieblingsgroßvater. Er lebte im Wald und war der Mann von unserer Großmutter. Wenn wir zu ihm kamen, schenkte er uns Hetschepetsch, damit wir sie den fremden Kindern in den Rücken stecken konnten oder er lieh uns das Buch, aus dem wir die Tiere nachzeichneten.

Eines Tages aber ist er gestorben, und das kam so: ich erzähls euch. Es war nämlich schon Nacht, als er mit seinem Motorrad über die Waldstraße nach Hause brauste. Da lief ihm ein Hirsch über den Weg. Unser Großvater wollte ihm ausweichen, aber er konnte nicht mehr und so fuhr er geradewegs in ihn hinein. Der Zusammenstoß war so stark, daß der Hirsch, unser Großvater und das Motorrad durch die Luft flogen. Der Hirsch zuckte noch mit den Läufen, die Räder des Motorrads drehten sich noch und unser Großvater rollte noch mit dem einen Aug, das andere hatte er sich am Geweih des Hirsches ausgestoßen. Auch sonst war er ziemlich arg zugerichtet. Sein Kopf war auf einen Kilometerstein gefallen und zersprungen, daß das Hirn auf die Straße spritzte. Auch sein Bauch war geplatzt, die Gedärme hingen heraus und mit der einen Hand hatte er sich sogar drin verfangen, von seinen Armen und Beinen gar nicht zu reden, die vor lauter Brüchen ganz verbogen waren. So lag unser Großvater im Blut, bis ein Wildhüter kam und ihn fand und ihm das Aug zudrückte, damit es nicht mehr rollen konnte.

Hast du das alles gesehen? fragt das eine der fremden Kinder, die mit offenen Mäulern Poppa auf der anderen Seite des Gartenzauns gegenüberstehen und sich höchstens hin und wieder an die Latten klammern, um sich hochzuziehen.

Nein, sagt Poppa, die lange Python. Aber ich hab genau hingehört, wie sie es erzählt haben und das ist genausoviel, wie wenn ich es gesehen hätte, denn auch wenn ich es gesehen hätte, könnte ich es euch nicht anders erzählen. So wars, ob ihr es glaubt oder nicht.

Und sonst? fragt das andere fremde Kind, ist sonst niemand bei euch gestorben?

Doch, sagt Poppa, die lange Python, wir hatten auch eine Großmama. Das war aber nicht die Frau von unserem Großvater, sondern die Frau von unserem Großpapa, aber der wohnt woanders als wir.

Und was war mit der?

Die ist ins Wasser gegangen.

Was heißt das? fragt das andere fremde Kind.

Na eben, daß sie ins Wasser gegangen ist. Und als sie nicht mehr gehen noch stehen konnte, ist sie untergegangen, schwimmen konnte sie nämlich nicht.

Du meinst also, daß sie dann tot war, sagt das eine fremde Kind.

Ja, das war sie. Aber man hat sie nicht gleich gefunden. Erst am dritten Tag, als es sie wieder nach oben getrieben hat. Da war sie schon außen und innen voll Wasser und blau und grün auf und auf und der Bauch ist ihr entsetzlich abgestanden, so als hätte sie immer geschluckt, um das ganze Wasser in sich hineinzubekommen. Und als man sie herausgefischt und zum Großpapa gebracht hatte, stellte sich heraus, daß sie gar nicht mehr in den Sarg paßte, den sie sich schon vor einiger Zeit hatte machen lassen.

Warum ist sie dann ins Wasser gegangen? fragt das andere fremde Kind.

Ich weiß auch nicht, antwortet Poppa. Aber bevor sie ins Wasser gegangen ist, hat sie sich schon einmal aufgehängt, dann hat sie sich die Adern zerschnitten und dann hat sie sich in die Schulter geschossen.

Und sie ist nie gestorben? fragt das eine fremde Kind.

Nein, sagt Poppa, die lange Python, erst mit dem Wasser ist es gegangen.

Und sonst? fragt das andere fremde Kind, ist sonst niemand bei euch gestorben?

Wart, sagt Poppa, laß mich nachdenken. Vielleicht fällt mir noch jemand ein. Muß es jemand aus unserer Familie sein oder kann es auch jemand sein, den ich bloß gekannt habe?

Es kann auch jemand sein, den du bloß gekannt hast, sagt das andere fremde Kind.

Dann erzähl ich euch das von dem Mann von der Frau, die bei uns Kellnerin ist. Der war nämlich bei der Eisenbahn. Ich hab ihn öfter gesehen, wenn er zu Besuch gekommen ist. Er trug eine blaue Uniform und in der Hand hatte er immer eine Aktentasche.

Und was ist mit dem? fragt das eine fremde Kind.

Der wollte einmal über die Gleise gehen, als ein Zug daherkam. Und dann ist der Zug gerade über ihn drüber gefahren, und als der Zug weg war, sind der Kopf und der Rumpf und die Füße von dem Mann je an einer anderen Stelle gelegen und man konnte alles sehen, was in seinem Körper drin war, die Knochen, das Fleisch, die Flachsen und überhaupt alles.

Und du hast es dir angesehen? fragen die fremden Kinder.

Nein, sagt Poppa, ich war ja nicht dabei. Aber die Frau von dem Mann, die bei uns Kellnerin ist, hats genau erzählt.

Wir müssen jetzt gehen, sagen die fremden Kinder. Ist euch schlecht? fragt Poppa. Wenns euch nämlich schlecht ist, dann dürft ihr mir eben nicht zuhören.

Nein, sagt das andere fremde Kind, wir müssen zum Essen. Aber wir kommen am Nachmittag wieder.

Fein, sagt Poppa, die lange Python. Ich werd nachdenken, vielleicht fällt mir bis dahin noch jemand ein.

Als die Wünsche noch an den Bäumen hingen

Freund Mowglie und Libby-Kuh sind einander freund. Sie sitzen auf dem Balkon des kleinen Hauses und putzen ihre Schuhe, zum Vergnügen. Es ist ein eisgrauer Nachmittag, an dem die Nilpferde sich tief in ihren Schlamm vergraben und die Riesenschlangen sich fest um ihre Bäume wickeln würden.
Alsdann, sagt Libby-Kuh und fährt mit einem Lappen über den Schuh. Freund Mowglie aber sagt, ich möchte mir gern einen Braten wachsen lassen. Neulich hat mir geträumt, daß eine Blutwurst auf ihren Holzzwecken zu einer Milchschüssel gerannt ist, wobei sie über einen Fingerling stolperte, platzte und: »Alles Gute zum Essen!« sagte.

Magst du denn Blutwurst? fragt Libby-Kuh.

Es geht, sagt Freund Mowglie, aber lieber esse ich Hornochsenfilet und am liebsten Langenschwanz-Braten mit Fleischfliegenkompost oder Islandmus und dazu ein Glas Essigundöl mit einem Eiszeitwürfel zu fünfzig Millionen.

Und was ißt du am zweitliebsten? fragt Libby-Kuh.

Eine Portion Krokodilschuppen in Baumrinde geröstet mit Schwalbenmaulsalat und Froschnester mit Sesam-Küken als Nachtisch, aber nur wenn sie frisch gesteckt sind.

Ach so, sagt Libby-Kuh. Und weißt du, was ich am liebsten esse?

Was? fragt Freund Mowglie.

Ich esse am liebsten . . . ich meine, meine Lieblings-speise ist . . . also am liebsten esse ich . . . Kannst dus nicht erraten?

Nein.

Versuchs doch bitte.

Ofenkatzenbreiauflauf mit Fischschwanzbrösel?

Ja, sagt Libby-Kuh. Und weißt du, was ich gern dazu esse?

Marillenbuttergrütze in Tannenwipfelbergsonnensauce gezwiebelt?

Ja, sagt Libby-Kuh und nimmt den nächsten Schuh zur Hand.

Und was soll ich dazu trinken?

Dazu paßt am besten leberfarbener Puschkinfäustesaft mit einem Drechsel-Löffel zum Umspiralen.

Danke, sagt Libby-Kuh, das wär mir beinah nicht mehr eingefallen.

Was wär dir beinah nicht mehr eingefallen? fragt Poppa, die lange Python, die sich vom Kinderzimmer her angeschlichen hat. Daß ich morgen Geburtstag habe?

Daran hab ich überhaupt nicht gedacht, sagt Libby-Kuh. Hast du mir zu meinem Geburtstag etwas geschenkt?

Weißt du schon, was du dir wünschst, fragt Freund Mowglie, oder wirst du gar nicht danach gefragt und mußt nehmen, was du bekommst?

Das kommt drauf an, sagt Poppa, aber diesmal wünsch ich mir obendrein was.

Was denn? fragt Libby-Kuh.

Etwas Extraartiges.

Eine China-Runde, einen Rosmarien-Kranz oder einen Thymerjahn? fragt Freund Mowglie.

Ätsch, sagt Poppa, die lange Python, ich hab mirs ja gedacht, daß ihr nicht drauf kommt.

Oder eine Faß-Taube oder einen Pech-Vogel oder eine Ofen-Schlange?

Das ist gar nichts, sagt Poppa, ich wünsch mir einen Neger.

Einen echten? fragt Libby-Kuh, oder einen ausgestopften?

Und wenn du ihn siehst, läufst du weinend und schreiend davon, sagt Freund Mowglie.

Du lügst, sagt Poppa. Ich wünsch mir einen echten, weil ein ausgestopfter liegt immer nur herum und ich kann ihn überallhin mitschleppen und das ist mir schon überhaupt zu blöd.

Und was willst du, daß der echte Neger macht? fragt Libby-Kuh.

Ich wünsch mir einen echten Neger, der groß und stark ist, weil ich will, daß er mit mir spielt und meine Hausaufgaben schreibt und alle anderen Kinder verprügelt, wenn sie ekelhaft sind.

Wir könnten ihn auch dazu verwenden, daß er die Schuhe putzt oder uns beim Pingpong-Spielen den Ball aufhebt, sagt Freund Mowglie.

Aber nur, wenn ich will. Ich hab ihn mir gewünscht und er gehört einzig und allein mir.

Aber du könntest ihn uns ab und zu leihen, wenn du willst, sagt Libby-Kuh. Wir leihen dir ja auch ab und zu etwas. Er kann auch mit uns spielen. Wenn er immer nur mit dir spielt, wird ihm das fad werden und dann läuft er dir davon und kommt nie mehr wieder.

Wenn er mir davonläuft, sagt Poppa, die lange Python, dann fängt ihn die Gendarmerie und bringt ihn mir zurück. Und das werde ich ihm gleich sagen, damit er gar nicht erst auf die Idee kommt.

Und was ist, wenn du ihn selbst nicht mehr haben willst? fragt Freund Mowglie.

Dann bekommt ihn Rhesus.

Und was tust du, wenn es ein wilder Neger ist, der gar nicht tut, was man ihm sagt?

Dann werde ich ihn zähmen.

Wie denn? fragt Libby-Kuh.

Ich verprügle ihn.

Und wenn er sich nicht verprügeln läßt? Wenn er dich selbst so lange prügelt, bis du weich bist und dich dann noch auffrißt?

Ich will keinen wilden, sondern einen zahmen Neger, sagt Poppa, die lange Python. Und wenn es keinen zahmen Neger gibt, dann will ich lieber einen Indianer haben.

Fein, sagt Freund Mowglie. Aber wünsch dir lieber gleich ein paar Indianer, damit wir alle was davon haben.

Mit recht viel Schlagobers, fügt Libby-Kuh hinzu. Damit wir uns wenigstens einmal so richtig hineinlegen können.

Die Rolle der Puppen

Als Libby-Kuh eines Morgens zur gewohnten Stunde aufwacht, findet sie sich in ihrem Kinderbett wieder, und nichts deutet darauf hin, daß sie sich vor kurzem noch wo anders befunden hat. Auch Libby-Kuhs Puppen sitzen reglos, und wie es scheint unbeschadet, am Fußende des Bettes, jedoch – sei dem wie da will – manchmal trügt der Schein.

Libby-Kuh erzählt nun den anderen Kindern, ihr habe geträumt, sie habe ihre Puppe mit der Suppe verschluckt.

Und? fragt Poppa, die lange Python.

Dann ist mir ein Mann erschienen, der ebenfalls ein Stück von meiner Puppe wollte. Das geht nicht, sagte ich, ich habe soeben meine Puppe mit der Suppe verschluckt. Da machte der Mann eine böse Miene, die er aber gleich wieder wegmachte, damit das furchtbare Gelächter, in das er kurz darauf ausbrach, in seinem

Gesicht Platz hatte. Zum Schluß sagte er noch ein Wort mit -uppe, das ich aber nicht verstehen konnte. Als ich ihn danach fragen wollte, bin ich aufgewacht.

Da springt Freund Mowglie aus dem Bett, sieht sich die Puppen der Reihe nach an und fragt, welche von deinen Puppen wars denn, die du verschluckt hast?

Das ist es ja, was ich gern wissen will, sagt Libby-Kuh. Es ist ein Jammer, denn keine sieht mir darnach aus. Du kannst sie drehen und wenden wie du willst.

Und die Kinder suchen den ganzen Vormittag nach Wörtern mit -uppe und finden auch eine Menge, nur das richtige ist nicht darunter.

Es ist ein Jammer, sagt Libby-Kuh am Nachmittag, nimmt ihre Puppen, so wie sie sind, und geht mit ihnen auf den Balkon. Dort stellt sie die Puppen, eine Puppe aus Plüsch, eine Puppe aus Plastik, eine Puppe aus Holz, eine Puppe aus Seide und eine Puppe aus Samt, in Zweierreihen auf. Die Puppe aus Samt ist überzählig, außerdem kann sie gehen und sprechen. Sie wird als erste aufgezogen. Den Blick geradeaus gerichtet, drängt sie sich sofort in den Mittelpunkt, ohne auf irgendjemanden Rücksicht zu nehmen. Noch stehen die anderen Puppen ahnungslos und mit freundlichen Mienen auf ihren Plätzen. Sie haben frische Kleider an und ihre Gesichter strahlen oder schimmern, je nachdem, woraus sie gemacht sind. Die Puppe aus Seide hat gebogene Wimpern, die bis an die Brauen reichen, die Puppe aus Holz, die Puppe aus Plastik und die Puppe aus Plüsch schauen wimpernlos aus den Augen. Keine von ihnen gibt einen Laut von sich, doch scheinen ihre Blicke zu sprechen.

Die Puppe aus Samt, die gerade den Mittelpunkt für sich erobert hat, läßt es dabei nicht bewenden, sie bringt sozusagen Leben in die Geschichte. Sie ist eine, die vor nichts Halt macht, auch nicht vor der ihr am nächsten stehenden Puppe aus Seide. Im Gegenteil. Sie rempelt die Puppe aus Seide so heftig an, daß diese umfällt, sich dabei das Kleid schmutzig macht und heftig mit den Wimpern zuckt, ohne auch nur eine Träne zu vergießen. Da hebt Libby-Kuh sie auf und dreht den Schlüssel ein paarmal um. Die Puppe aus Seide aber ist eine Puppe, die tanzen kann. Sie beginnt sich im Kreis zu drehen und umtanzt, die Arme weit von sich gestreckt, die ihr am nächsten stehende Puppe aus Plastik, gibt dieser einen Schlag auf die Wange, worauf die Puppe aus Plastik auf sie zufällt, dann aber von der Kreiselbewegung wieder ausgestoßen wird und unsicher, auf ihren Beinen schwankend, stehenbleibt.

Bald darauf hat die Puppe aus Seide die Puppe aus Samt eingeholt und versucht nun, sie niederzutanzen. Gute Nacht, schreit die Puppe aus Samt, Mama, gute Nacht, aber Libby-Kuh denkt, Strafe muß sein, und verbietet sich jeglichen Eingriff. Da geraten die beiden Puppen einander ins Haar, so heftig, daß Libby-Kuh beschließt, die Puppe aus Holz in Gang zu bringen, um dem bösen Spiel eine neue Wendung zu geben. Diese nun beginnt, ihre aus Holz gedrechselten Arme zu öffnen und zu schließen, als wolle sie jemanden an die Brust drücken, was ihr auch bald darauf gelingt, denn die Puppe aus Plastik, die sich von dem Schlag der Puppe aus Seide noch immer nicht erholt hat und ihr Gleichgewicht nicht wiederfindet, wird vom Sog, den die Bewegungen der umarmenden Puppe verursachen, angezogen, und gerät ihr in die Hände.

Libby-Kuh, die ein für allemal auf ein Eingreifen verzichtet hat, befreit die Puppe aus Plastik, die man nicht einmal aufziehen kann, keineswegs aus der Umschlingung, sondern wendet sich der letzten Puppe, der Puppe aus Plüsch zu, die als etwas Besonderes gelten darf, um sie ebenfalls aufzuziehen. Aussehen und Gehabe dieser Puppe lenken sofort die Aufmerksamkeit auf sich, sie ist nämlich auf und auf schwarz, schlägt die Hände über dem Kopf zusammen und stampft dabei mit dem Fuß auf den Boden.

In diesem Augenblick kommen die Puppe aus Samt und die Puppe aus Seide, die einen großen Kreis gezogen haben, zu den anderen Puppen zurück. Noch sind sie ineinander verkeilt, jedoch, die Schritte der Puppe aus Samt, die als erste aufgezogen wurde, werden merklich langsamer. Mit ersterbender Stimme und erschlaffenden Gliedern, hängt sie am Leib der immer noch tanzenden Puppe aus Seide und wird bei der nächsten, etwas heftiger ausfallenden Drehbewegung auf die ebenfalls ineinander verkeilten Puppen, nämlich die aus Holz und die aus Plastik, geschleudert, worauf alle drei zu Boden fallen. Nun hat aber die Stunde der tanzenden Puppe geschlagen. Im Überschwang ihrer letzten Kreise stolpert sie über den Knäuel der bereits gefallenen Puppen und stürzt mit einer mittendrin abgebrochenen, schraubenförmigen Bewegung obendrauf. Nur die Puppe aus Plüsch, die als letzte aufgezogen wurde, steht noch immer aufrecht, stampft mit dem Fuß und schlägt die Hände über dem Kopf zusammen.

Es ist ein Jammer, sagt Libby-Kuh laut vor sich hin, daß sie mir so gar keinen Hinweis gegeben haben. Ich wünschte, es hätte sich eine, wenn auch nur durch eine winzige Geste verraten. So aber wird das Rätsel ungelöst bleiben. Und sie nimmt die Puppen, so wie sie sind, ohne sich weiter um ihren Zustand zu kümmern, setzt sie anstatt ins Bett in die Kohlenkiste und sagt, hier könnt ihr sitzen, bis ihr schwarz werdet.

Am Abend, als Libby-Kuh wieder in ihrem Bett liegt, geben ihr die anderen Kinder den Rat, diese Nacht besser aufzupassen.

Vielleicht träumt dir wieder dasselbe und dann merkst du dir eben das Wort.

Ach was, sagt Libby-Kuh, mir ist die Sache schon völlig schnuppe.

Diese Schlange hat einen anderen Ringler

Als Rhesus seinen Mittagsschlaf gehalten hat, steht er auf, zieht sich an, so gut er kann, öffnet die Tür und geht, ohne daß jemand ihn bemerkt, die Treppen hinunter, über den Kiesstreifen auf die Wiese, zum Wäscheaufhängplatz. Es hängt keine Wäsche an den Leinen. Rhesus sieht das und sagt bei sich »aha«. Es hat schon lange nicht geregnet, Rhesus merkt das, weil das Gras ganz warm und trocken ist, und sagt noch einmal bei sich »aha«.

Er überquert den breiten und ziemlich langen Wäscheaufhängplatz, ohne ein einziges Mal stehenzubleiben oder sich hinzusetzen, bis er zum Stangenberg kommt. Auf dem Stangenberg wachsen Bäume und Rhesus setzt sich in ihren Schatten.

Während Rhesus dasitzt und seine Zehen bewegt, kriecht unter der Wurzel eines Baumes eine Schlange hervor. Rhesus sieht sie und sagt laut und deutlich, eine Schlange! Und während Rhesus weiter so dasitzt und seine Zehen bewegt, kriecht unter derselben Wurzel desselben Baumes eine zweite Schlange hervor und Rhesus sagt laut und deutlich, noch eine Schlange! Rhesus sieht nun, wie die beiden Schlangen sich ineinander verschlingen, und wie sie sich dabei immer weiter schlängeln, auf einen Stein zu, der in der Sonne liegt, und um den sich bereits eine dritte Schlange schlängelt. Da sagt Rhesus laut und deutlich, und noch eine Schlange! Und er sieht, wie die beiden ersten Schlangen sich mit der dritten Schlange zu einem Knäuel verknäueln.

Da hört Rhesus, wie Annemarie »Robert Robert« ruft, aber er sagt kein Wort. Er bleibt ruhig sitzen, bis Annemarie wieder vorbeikommt und nochmals »Robert Robert« ruft. Und Rhesus sagt wieder kein Wort, aber Annemarie hat ihn entdeckt und ruft, komm sofort her! Da beginnt Rhesus zu schreien, die Schlangen, die Schlangen, die Schlangen! Bleib ruhig sitzen, ruft Annemarie, ich komm schon! Und sie kommt auch schon.

Da fängt Rhesus zu weinen an und brüllt, die bösen Schlangen! die bösen Schlangen! Nur daß die Schlangen sich schon davongeschlängelt haben und Annemarie sie gar nicht mehr zu sehen bekommt. Sie nimmt Rhesus auf den Arm und sagt, ist ja nicht wahr!

Rhesus aber weint noch immer und sagt, da, da! Aber da sind keine Schlangen mehr.

Gleich darauf erzählt Annemarie Rhesus etwas, und

Rhesus hört zum erstenmal in seinem Leben wirklich aufmerksam zu.

Das Tier, das eine Schlange totbeißen kann, ist der Igel. Du hast schon öfter einen gesehen, also brauche ich dir nicht zu erklären, wie er aussieht. Gib acht!

Es war einmal ein Bub, beginnt Annemarie, so um die drei Jahre herum, vielleicht etwas drunter, vielleicht auch etwas drüber, um viel war es jedenfalls nicht um. Und dieser Bub hatte gerade seinen Mittagsschlaf geschlafen. Und weil niemand in der Nähe war, zog er sich allein an und schlich die Treppen hinunter, um einen Spaziergang zu machen. Und er ging und ging, über Kieselsteine, Feld und Wiese, bis er zu einem Berg kam, der Stangenberg hieß, weil ein Stangenzaun ihn in zwei Hälften teilte. Dort stapfte er eine Weile herum, bis er glaubte, den rechten Schatten des rechten Baumes gefunden zu haben, um sich darunter hinzusetzen. Da sah der Bub, wir wollen ihn der Einfachheit halber Robert nennen, einen Igel im Gras sitzen, der gerade dabei war, seine Stacheln in Ordnung zu bringen.

Was tun Sie da? fragte Robert.

Der Igel aber antwortete, Sie sehen ja, ich bringe mein Gefieder in Ordnung und dabei spuckte er sich kräftig in die Hände.

Aha, sagte Robert, und warum ist es nicht in Ordnung? Warum müssen Sie es erst in Ordnung bringen?

Da erklang von hinter dem Gebüsch her ein Zischen, das sich folgendermaßen anhörte: »Sie haben keineswegs Flügel, Sie Läusetransport, Sie!« Der Igel tat, als hätte er nichts gehört und sprach weiter, der letzte Kampf hat mir das Gefieder in Unordnung gebracht.

Aha, sagte Robert, besserte dann aber das »aha« zu einem »ach« aus, weil er ja noch gar nicht wußte, worum es ging.

Das war nämlich so, sagte der Igel, es gibt hier in der Gegend einen Schnösel von Hund – du weißt doch was das ist? (Robert nickt heftig) – und dieser Schnösel von Hund hat mich überfallen. Ich ging sofort in Angriffsstellung und hatte eine jede meiner Federn vorschriftsmäßig gespitzt, als plötzlich eine Stimme aus meinem Innern mir zurief, ich solle mich einrollen. Als der Schnösel von Hund sich dann endlich trollte und ich mich aufrollte, da hatte ich die Bescherung.

Wieder erklang von hinter dem Gebüsch her ein Zischen, das sich folgendermaßen anhörte: »Nehmen Sie eine Stachelzange, dann wird gleich Ordnung sein in Ihrem Gebälk!«

Die Schlange, ha, sagte der Igel, wenn sie ihr Gift nur verspritzen kann! Und indem er sich dem Gebüsch zuwandte, sagte er, Sie haben es nötig, sehen Sie sich selbst in den Spiegel! Und schon hatte er seine Stacheln, die er Fremden gegenüber Gefieder nannte, damit niemand erschrecken sollte, in Ordnung gebracht und ging seines Weges.

Und warum hat der Igel die Schlange nicht totgebissen? fragt Rhesus. Das ist eine Geschichte, sagt Annemarie und trägt Rhesus ins Haus hinein.

Windspiele

Annemarie, wo sind die Kinder?

Die Kinder sind im Garten, Herr Chef.

Dann ist es gut.

Jawohl, Herr Chef.

Sorgen Sie dafür, Annemarie, daß die Kinder vor der Jause nicht ins Haus kommen.

Jawohl, Herr Chef.

Alsdann, Kinder, ruft Annemarie im Garten. Da schießt Leo einen Pfitschi-Pfeil hinter der Blutbuche hervor. Annemarie fühlt sich getroffen und erwartet, daß jemand ihr den Stachel wieder herauszieht.

So macht schon, sagt Poppa, die lange Python, und wälzt sich im Gras.

Macht schon, sagt Libby-Kuh und kaut an einem Glücksklee.

Leo will nicht und Rhesus kann nicht. Nur Freund Mowglie kümmert sich um die Verletzte.

Kommt Kinder, wir wollen ein Spiel spielen, sagt Annemarie und bindet sich ein Taschentuch vor die Augen. Aber sie kriegt niemanden zu fassen. Da gibt sie es auf, den anderen die Dumme zu spielen.

Wenn ihr euch anständig aufführt, sagt sie, gibt es zur Jause eine Überraschung. Vielleicht sogar Zimtschnekken.

Wir wollen keine Zimtschnecken, Schlatzschnecken sind uns lieber.

Wenn ihr euch nicht anständig aufführt, sagt sie, gibt es zur Jause weder eine Überraschung noch Zimtschnekken, sondern einen Schmarrn.

Einen Schmarrn mit Quasten, das Brot liegt in dem Kasten.

Der Garten ist groß und schön. Es ist sehr gesund, im Garten zu spielen. Wir möchten ins Haus gehen, Annemie.

Ihr dürft nicht ins Haus gehen.

Wir möchten aber ins Haus gehen.

Ihr dürft aber nicht ins Haus gehen.

Annemarie steht da. Die Kinder lassen sich nicht blikken.

Sie ruft, hallo, Kinder! Eine Stimme, die wie die Stimme Poppas, der langen Python, klingt, sagt: Du bist kein Licht, drum plag dich nicht! Und eine Stimme, die wie die Stimme Libby-Kuhs klingt, sagt: Gib dir keine Mühe, nicht am Abend und nicht in der Frühe!

Da setzt Annemarie sich ins Gras und singt ein Lied:

Blut aus den Ohren / das Fell geschoren,

das Fleisch gefroren / 's ist alles verloren.

Da ruft eine Stimme, die wie die Stimme Leos klingt:

Annamirl-Zuckerschnürl, such beim Türl!

Annemarie geht von Baum zu Baum, von Strauch zu Strauch, von Blume zu Blume. Und die Stimmen rufen: kalt, warm, wärmer, kälter, heiß!

Annemarie sitzt mit den Kindern auf dem Boden. Sie spielen den Plumpsack.

Mir ist furchtbar fad, sagt Leo.

Warum haben wir eigentlich keinen elektrisch beleuchteten Rollschuhplatz, keine drei großen Waschbären und keine automatische Fischfangmaschine, wie andere Kinder?

Darum nicht, sagt Annemarie.

Und Leo fragt weiter, und warum sind wir uns nicht selbst überlassen, so wie andere Kinder?

Was für andere Kinder?

Es gibt eine ganze Menge anderer Kinder, von denen ich mir vorstellen kann, daß sie sich selbst überlassen sind, sagt Leo.

Da kann ich mir eine noch viel größere Menge anderer Kinder vorstellen, die sich nicht selbst überlassen sind.

Ich möchte aber, sagt Leo, zu der vielleicht kleineren, aber sicher nicht schlechteren Menge anderer Kinder gehören, von denen ich mir vorstellen kann, daß sie sich selbst überlassen sind.

Der Wind weht. Das Wetter ist schön. Die Wolken wandern.

Jetzt wollen wir das Lied von der Lilo-Fee singen, sagt Annemarie, los Kinder, was ist?

Da sagt Rhesus, geh weg mit deinem blöden Lied. Ich will kein so blödes Lied nicht singen.

Was willst du dann?

Ich will, daß das Haus kaputtgeht, wenn wir schon nicht ins Haus dürfen.

Es soll in die Luft fliegen, sagen die anderen Kinder. Dann springen alle auf und schreien, tschinderassa bum bum bum! und tanzen, bis sie hin und auf den Hintern fallen.

Ihr seid alle plem-plem! sagt Annemarie.

Kommt, ruft Leo, wir wollen dem Gärtner eins auswischen.

Der Gärtner ist alt und taub, sagt Annemarie.

Du mußt natürlich alles besser wissen, sagt Leo und geht auf die kleine Seite.

Da schreibt Annemarie in Gedanken einen Brief an ihren Herrn Eber, der mit: »Wenn du wüßtest, mein Lieber!« anfängt.

Aber du, Annemie, du bist weder alt noch taub. Dir könnten wir eins auswischen.

Annemarie sieht den Kindern der Reihe nach in die Augen. Warum ausgerechnet mir, ihr habt mich doch lieb, oder?

Wer sagt denn, daß wir dich liebhaben? fragt Poppa, die lange Python. Hast du sie vielleicht lieb, Leo, oder du, Rhesus?

Wer sagt denn, daß wir dich liebhaben? fragt Libby-Kuh.

Wenn ihr mich nicht liebhabt, ist mir das auch schnurzegal, aber es gehört sich nicht, jemandem vorsätzlich eins auszuwischen.

Und wenn wir dich trotzdem liebhaben, was machst du dann? fragt Poppa. Dann bist du baff, was?

Ich bin gar nicht baff, weil ich nie baff bin, sagt Annemarie. Es bekümmert mich nur, daß du selbst nicht weißt, was du willst.

Das ist es ja gar nicht, sagt Poppa. Ich will dich weder liebhaben noch nicht liebhaben. Das kommt und geht einfach.

Bei Poppa, sagt Leo, hat alles Hand und Fuß.

Und Annemarie schreibt einen zweiten Brief in Gedanken, diesmal einen recht langen.

Die Kinder liegen im Gras und schauen durch die Finger. Der Himmel ist blau, die Bienen summen, die Vögel singen. Der Wind hört nicht auf zu wehen.

Ich weiß was, sagt Libby-Kuh. Wir lassen uns in die Regentonne fallen, dann sind wir naß und müssen ins Haus.

Ich versteh nicht, was ihr im Haus wollt, sagt Annemarie, wo es doch so schön ist hier draußen. Wenn ihr wollt, können wir Kirschen vom Baum pflücken.

Es gibt keine Kirschen mehr, sagt Freund Mowglie.

Die hat alle der Hagel gefressen, schreit Rhesus.

Du lügst wie gedruckt, sagt Libby-Kuh, der Hagel kann gar nicht fressen.

Du lügst, schreit Rhesus. Es heißt drücken. Ich kenn das Wort nur mit drücken.

Mit dir kann man nicht reden, sagt Libby-Kuh.

Blöde Kuh, schreit Rhesus, blöde Kuh, du blöde.

Plötzlich reißt Leo einen Rittersporn aus, geht zu Annemarie, macht einen Diener, gibt ihr den Rittersporn und sagt, einen schönen Gruß von deinem Herrn Wildschwein! Und gleich läuft er weg, damit Annemarie ihn nicht zu fassen kriegt.

Da tut Annemarie als würde sie weinen.

Annamirl – Heulmirl! schreit Leo hinter der Blutbuche hervor.

Ach was, sagt Annemarie, du verstellst dich bloß. In Wirklichkeit hast du ein weiches Herz und es tut dir schrecklich leid.

Tut es dir leid, Leo? fragt Poppa, die lange Python, und blinzelt faul in die Sonne.

Leo kommt wieder hinter der Blutbuche hervor. Laß sie nur reden, es ärgert sie doch nur, daß ich alles weiß, von ihr und ihrem Herrn Eber.

Gar nichts weißt du, sagt Annemarie.

Doch, sagt Leo, ich hab alles gesehen.

Da kümmert sich Annemarie nicht mehr um Leo. Sie nimmt Rhesus vom Boden auf, zieht an seinen Hosenträgern und fährt ihm mit den Fingern durchs Haar.

Warum weht heute der Wind? fragt Rhesus.

Weil er gestern und vorgestern nicht geweht hat.

Aber warum muß er gerade heute wehen? Er hätte doch auch gestern oder morgen wehen können.

Gestern hat er aber nicht geweht und morgen ist es vielleicht schon zu spät.

Ich will mich trotzdem in die Regentonne fallen lassen, sagt Libby-Kuh und schaut ins Faß.

Annemarie wird böse. Du wirst naß, stehst im Wind und erkältest dich. Dann kannst du den Sommer über im Bett bleiben.

Ich bleib aber nicht im Bett.

Wenn du dir unbedingt den Tod holen willst, dann bitte.

Annemarie gibt Rhesus eins hinten drauf und läßt ihn laufen.

Würdest du dich freuen, wenn ich tot bin?

48

Du sollst kein dummes Zeug reden, Lydia.

Ich kenn aber jemanden, der sich freuen würde.

Du sollst kein dummes Zeug reden, Lydia. Annemarie steht auf und nimmt Libby-Kuh den Stock weg, mit dem sie in der Regentonne umgerührt hat.

Ich red kein dummes Zeug, frag Rhesus.

Und Rhesus schreit, sie lügt wie gedrückt.

Unterdessen haben Leo und Freund Mowglie zu kämpfen begonnen. Sie halten sich umklammert, rollen spukkend und einander kratzend durchs Gras und über Poppa, die lange Python, hinweg, die sich ahnungslos in der Sonne räkelt.

Hört auf, sagt Poppa und gibt beiden einen Tritt. Daraufhin treten Leo und Freund Mowglie Poppa.

Leo, Melchior! schreit Annemarie, werdet ihr Paula in Ruhe lassen!

Dann schreibt sie rasch noch einen dritten Brief in Gedanken, diesmal einen recht kurzen, an ihren Herrn Eber, der es gut hat.

Hilfe, Hilfe! schreit Poppa. Und Annemarie sagt zum letztenmal, Leo, Melchior, werdet ihr Paula in Ruhe lassen! Als auch das nichts fruchtet, gibt sie einem jeden der Buben eine Ohrfeige, steckt ihnen die Hemden in die Hosen und wischt ihnen den Schweiß ab.

Und Paula wird zur Strafe zehnmal das folgende Sprichwort abschreiben: »Wer andern eine Grube gräbt . . . ist selbst nicht fein« sagt Libby-Kuh, die sich den Stock wieder geholt hat und weiter in der Regentonne umrührt.

Da kommt Herr Wimmer über die Wiese gegangen und die Kinder laufen ihm schreiend entgegen.

Annemarie säubert ihr Kleid von den Halmen, wirft den Rittersporn fort und läuft hinter den Kindern her.

Nun, Annemarie, wie kommen Sie zurecht? fragt Herr Wimmer.

Danke, es geht, antwortet Annemarie und hebt Rhesus, den die anderen niedergetrampelt haben, vom Boden auf.

Herr Wimmer lächelt freundlich, schnell Kinder, kommt ins Haus, die Jause steht auf dem Tisch. Es gibt eine Überraschung, vielleicht sogar Zimtschnecken. Und er bewegt sich, an jeder Hand zwei Kinder, wie eine Windmühle, nur geradeaus.

Wir wollen keine Zimtschnecken, Schlatzschnecken sind uns lieber.

Annemarie, fragt Herr Wimmer, haben Sie den Kindern das beigebracht?

So wahr mir Gott helfe, sagt Annemarie, ich nicht. Das müssen sie sich aus dem Daumen gesogen haben.

Kindermund, sagt Herr Wimmer, zieht die Kinder noch fester an sich und geht schweren Schritts auf das Haus zu.

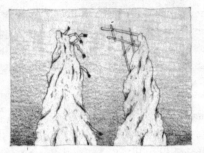

Die Verirrung

Der Soldat sitzt auf der Treppe, mit dem Rücken ans
Treppengeländer gelehnt, und lächelt. Seine Beine sind
gespreizt, die Spitzen der Stiefel nach außen gebogen,
seine Ellbogen ruhen auf den Knien. Er hält eine junge,
schwarz-weiße Katze in Händen, ihr Kopf schaut zwischen seinen Fingern hervor, ebenso der Schwanz, eine
Vorder- und eine Hinterpfote. Die Mütze des Soldaten
sitzt schief, so als hätte er sich soeben am Kopf gekratzt
und die Mütze, die ihm dabei im Weg war, zur Seite ge-
schoben. Auch steht der oberste Knopf seiner Uniformbluse offen, man kann darunter die nackte Haut sehen
und ein Stück des Kettchens, das dem Soldaten um den
Hals hängt. Sein Gesicht ist glatt. Durch das Lächeln ist
der Mund etwas in die Breite gezogen, die Lippen sind
schmäler geworden. Im rechten Augwinkel befindet
sich eine blattförmige Narbe. Die Treppe, auf der der

Soldat sitzt, führt zum Balkon hinauf, sie ist aus Holz und an der Außenwand des Hauses angebracht. Einige Stufen über dem Kopf des Soldaten stehen noch einmal Füße, ebenfalls in Stiefeln, doch sind sie abgeschnitten, vielleicht sind es überhaupt nur Stiefel.

Ich bin nicht weggelaufen, ich hab mich bloß verlaufen. Und auf einmal war ich ganz in der Nähe, da bin ich gleich hergekommen. Sie werden mich schon finden. Wo sollten sie mich sonst schon suchen?

Da ist ein Wald mit Nadelboden und umgehauenen Stämmen. Der Soldat sitzt auf einem der Baumstümpfe. Im Schoß hat er eine Frau, die er mit beiden Händen um die Oberarme gefaßt hält. Die Frau beugt den Kopf zurück, auf die Schulter des Soldaten. Ihr offenes Haar fliegt im Wind, sie hat eine Blume zwischen den Zähnen stecken. Der Soldat hält seinen Kopf an den der Frau gelehnt, seine Mütze hat er überm Knie hängen.

Wenn sie hierherkommen, werden sie sicher sagen, ich sei weggelaufen. Ich hab aber über etwas nachdenken müssen und während ich nachgedacht habe, verlor ich sie aus den Augen. Sie waren einfach verschwunden.

Es ist eine große Tafel gedeckt. Die Gäste sitzen in Erwartung der Suppe, die von links her aus einer Schale in die Teller gegossen wird. Braut und Bräutigam befinden sich in der Mitte, das Haar des Bräutigams ist etwas schütter, sein Gesicht aber jung. Er trägt eine Schleife im Rockaufschlag, der Kragen scheint etwas zu eng für seinen kräftigen Hals. Die Braut tippt mit dem Finger an seine Schulter, ihr Gesicht ist zu seinem Ohr geneigt. Sie hält sich die Hand vor. Der Soldat sitzt links außen. Ihm wird gerade die Suppe eingeschenkt, und er beugt sich zurück, um nicht bespritzt zu werden. Seine eine Hand mit der Serviette liegt auf der Lehne des freien Stuhls neben ihm, die andere stützt sich vom Tisch ab.

Wo werden sie mich denn schon suchen? Der Weg führt genau hierher, ich würde ihn im Schlaf finden. Auch sieht man das Haus schon von weitem.

Nun steht der Soldat auf einer Brücke. Er hat die Hände in die Taschen gesteckt und lehnt über der Brüstung, ohne sich aufzustützen. Er starrt in den Fluß. Hinter seiner Schulter ragt der Lauf eines Gewehrs empor. Seine Beine, die durch das Geländer zu sehen sind, stehen dicht beisammen, die Stiefel glänzen in der Sonne, an seinem Gürtel hängt eine Pistolentasche. Es hat den Anschein, als würde der Soldat etwas den Fluß hinunterschwimmen sehen, was, läßt sich nicht ausnehmen. Wenn sie dich aber trotzdem bis zum Abend im Wald suchen? fragt die Großmutter und schiebt Poppa, der langen Python, ein Glas Milch hin.
Ich bin nicht weggelaufen. Sie werden sich schon denken können, wo ich auf sie warte und geradewegs hierherkommen.
Da sieht die Großmutter Poppa über den Nickelrand ihrer Brille hinweg an und sagt, in summa summarum bist du weggelaufen, und damit basta.
Wer ist der Soldat? fragt Poppa und läßt ihre Zunge in

die Milch hängen, damit sie sie besser schmecken kann.

Niemand, sagt die Großmutter, ohne sich nach der Wand umzudrehen, an der die Bilder hängen.

Wieso? fragt Poppa und züngelt weiter in der Milch.

So, sagt die Großmutter. Sie trägt ein gepunktetes Kopftuch überm Haar, ihr Kleid ist das eines alten Weibes. Die Hausschuhe, die sie anhat, sind aus kariertem Flanell und mit einer Schnalle zu schließen. Ihr zu Füßen liegt ein Hund von der Größe eines jungen Pferdes, der, den wuchtigen Schädel auf das Knie der Großmutter stützend, Speichel aus seinen Mundwinkeln läßt.

Poppa reibt den Hund mit den Zehen am Schenkel und dieser dreht sich ihr zu, legt sich mit flappenden Lefzen auf den Rücken und teilt dabei mit den Pranken nach links und rechts unvermeinte Schläge aus, die ihm je einen Tritt eintragen.

Köter, sagt die Großmutter in einem sehr milden Ton. Wenn du ihn schlachtest, hast du den ganzen Winter über Fleisch.

So, sagt die Großmutter und häkelt weiter an dem senffarbenen Stern, der ein Weihnachtsgeschenk werden soll.

Werdet ihr auch geschlagen? fragt sie nach einer Weile.

Das kommt nicht in Frage, antwortet Poppa, die lange Python, Schläge führen nämlich zu nichts.

Kriegt ihr denn keine Ohrfeigen?

Manchmal, aber nur die Buben, sagt Poppa und gibt dem Hund einen Stoß, daß er auf die Seite fällt.

Ich würde euch schon in die Kur nehmen, sagt die Großmutter und schnalzt dabei mit der Zunge.

Das ist die frühere Methode, aber von dir kann man

nichts anderes erwarten. Außerdem müßtest du zuerst unsere Eltern fragen, bevor du uns in die Kur nimmst. Du hast zu reden, wann du gefragt wirst, und in diesem Augenblick habe ich dich ganz und gar nicht gefragt, verstanden?

Ich bin nicht taub. Du brauchst doch nicht so zu schreien, wenn du mich etwas fragst.

So, sagt die Großmutter, legt ihren Stern auf den Tisch und geht mit dem inzwischen leergetrunkenen Milchglas aus dem Zimmer.

Das Haus hat ein Stockwerk. Es ist aus Holz und von wildem Wein umwachsen. Im Zimmer stehen Bauernmöbel und ein Radio. Der Hund streckt sich auf dem gewebten Teppich und beißt sich den Schmutz aus den Klauen.

Das Haus steht mitten im Wald. Die Bäume reichen so nahe ans Fenster, daß sie, wenn der Wind weht, an die Scheiben schlagen. Es ist ein kleines Haus, aber schön. Es riecht nach Reisig und Äpfeln, manchmal auch nach Schwämmen, je nachdem, was die Großmutter gerade trocknet. Es können auch Zwetschken oder Bohnen, Birnen oder Hetschepetsch sein. Wenn man rausschaut, kann man die Kuh stehen sehen. Sie ist an einen Pfahl gekettet und grast im Umkreis das Gras ab. Manchmal brüllt sie auch, lang und gräßlich.

Wenn jetzt plötzlich der Soldat ins Zimmer tritt, wenn er die Mütze in die Hand und das Gewehr von der Schulter nimmt, wird der Hund sich aufrichten und ein dröhnendes Blaffen hören lassen. Er wird knurrend ein Stück auf ihn zugehen, sich wieder hinsetzen und ihn

beobachten, während der Soldat regungslos stehenbleibt und sich vorderhand nicht zu rühren getraut.
Dann aber wird er etwas sagen und versuchen, den
Hund zu beruhigen oder zumindest von sich abzulen-
ken. Er wird ihm begütigend zusprechen und in seinen
Taschen nach etwas suchen wollen, das er dem Hund
vorwerfen könnte. In dem Augenblick aber, als der Soldat sich bewegt, wird der Hund sofort wieder zu knurren anfangen. Dem Soldaten wird also nichts anderes
übrigbleiben, als dazustehen und zu warten, bis jemand,
den der Hund kennt, ihm den Befehl gibt, zu ku-
schen, und ihn, den Soldaten, in Frieden zu lassen, wenn
er nicht riskieren will, von dem Hund angefallen, festge-
halten oder gar gebissen zu werden. Das ist eine ziemlich unangenehme Situation für den Soldaten, aus der er
so rasch keinen Ausweg findet, von allein jedenfalls
nicht. Und wie der Soldat, bereits zum äußersten ent-
schlossen, nach seinem Gewehr greift, um damit dem
Hund eins über den Schädel zu hauen, hört er die
Stimme Poppas, die er bis dahin nicht bemerkt hat, weil
sie hinter dem Ofen sitzt.
Wer sind Sie? wird Poppa den Soldaten fragen und der
Soldat wird Poppa genau erzählen, wer er ist. Dann wird
Poppa den Hund zurückrufen und der Soldat wird sich
erleichtert an den Tisch setzen und den obersten Knopf
seiner Uniformbluse öffnen, so daß darunter die nackte
Haut und ein Stück von dem Kettchen, das dem Solda-
ten um den Hals hängt, zu sehen ist. Er wird sich zurück-
lehnen, mit gespreizten Beinen, die Ellbogen auf die
Sessellehnen stützen und lächeln, während der Hund
sich zu Füßen des Soldaten auf den Boden legt und nur

hin und wieder im Traum mit den Läufen zuckt. So wird
Poppa alles erfahren, was sie über den Soldaten wissen
will.

Da hast du ein Glas Kuhwarme, sagt die Großmutter,
die draußen die Kuh gemolken und sich dann unbe-
merkt wieder ins Zimmer geschlichen hat.

Die anderen werden bald da sein, ich hab sie schon
schreien gehört, und sie setzt sich auf den Stuhl, auf dem
der Soldat gesessen wäre, ohne daß der Hund auch nur
einen Laut von sich gibt.

Wer ist der Soldat denn wirklich? fragt Poppa und
macht einen großen Schluck aus dem inwendig beschla-
genen Glas.

Ich habs dir doch schon gesagt, niemand. Die Großmutter sieht verärgert über den Nickelrand ihrer Brille. Er
ist vor vielen Jahren gestorben.

So wie Großmama?

Nicht ganz so, sagt die Großmutter.

Da sind die Stimmen der anderen schon ganz deutlich
zu hören. Die Kinder laufen über das Stück Wiese, auf
dem die Kuh angekettet steht, und sind auch schon im
Haus, während Annemarie erst aus dem Wald kommt.
Als die Kinder zur Tür hereinstürmen, schreien sie,
Großmutter, Poppa, Poppa, Großmutter! so daß der
Hund erschrocken aus dem Schlaf fährt und ein kurzes
Knurren von sich gibt, sich aber gleich wieder hinlegt.

Ich bin nicht weggelaufen, ich hab mich bloß verlaufen,
sagt Poppa, die lange Python. Es war ganz in der Nähe
und da bin ich gleich hierhergekommen. Wo hättet ihr
mich sonst schon suchen sollen?

Ich wollte nur Poppa holen, sagt Annemarie, als die

Großmutter ihr ebenfalls ein Glas Kuhwarme anbietet. Wir werden nämlich zur Jause erwartet.

Bitteschön, sagt die Großmutter, es hält Sie niemand.

Dann, als die Kinder mit Annemarie durch den Wald nach Hause trotten, flüstert Poppa ihrem Bruder Leo ins Ohr, ich weiß jetzt, wer der Soldat ist.

Wer? fragt Leo.

Niemand. Er ist vor vielen Jahren gestorben. Wir können also nicht mit ihm rechnen.

Habt ihr schon von Herrn Hamelin gehört?

Heute bin ich ihm wieder begegnet.
Unlängst hat er mir einen Kuß auf die Wange gegeben.
Er bringt es nicht fertig, auf jemanden böse zu sein.
Habt ihr bemerkt, wie sein Schal geleuchtet hat?
Er war es, der der fremden Dame die Schlange ins Bett
gelegt hat.
Morgens trinkt er Milch.
Als er beim Oberkellner die Rechnung bezahlen sollte,
sind aus seiner Hand drei weiße Mäuse gesprungen.
Ich hab nachts bei ihm Licht brennen sehen.
Er hat gesagt, ich hätte so wunderliches Haar.
Und ich, hat er gesagt, würde größer und stärker wer-
den.
Neulich war er im Garten.

Er hat mir gezeigt, wie man eine Schlange hält, ohne daß sie einen beißen kann.

Wißt ihr, daß er schon dreimal fast gestorben wäre?

Hat er mit dir allein gesprochen?

Auf seinem Nachtkästchen steht ein Glas mit Smaragdeidechsen.

Er trägt Manschettenknöpfe mit Schlangenköpfen.

Und als ich ihn so an einen Baum gelehnt stehen sah, da sagte ich, erzählen Sie mir doch bitte was!

Er ist schon in Afrika gewesen.

Und in Amerika.

Und in Asien.

Auch in Australien.

Er hat mir von allen Schlangen erzählt, die es gibt.

Ich hab ihn nach den Riesenspinnen gefragt.

Ich nach den Skorpionen.

Und ich nach den Krokodilen.

Er hat gesagt, ich hätte schöne, kräftige Zähne.

Vielleicht kann er zaubern.

Er trägt eine goldene Kette um den Arm.

Und drei goldene Ringe an den Fingern.

Er hat gesagt, ich hätte eine ganz weiche Haut, weicher als die Flügelhaut von Fledermäusen.

Ich hab ihn gefragt, ob er mich einen Blick in seinen Behälter werfen läßt.

Als er den Hut abnahm, sah ich, daß er einen schillernden blauen Schmetterling auf dem Kopf sitzen hatte.

Er will im nächsten Sommer wiederkommen, er möchte dasselbe Zimmer haben.

Er ist vor dem Frühstück schon am See gewesen. Ich bin zufällig aufgewacht, da hab ich ihn gesehen.

Vielleicht bringt er uns ein Chamäleon mit.

Ich glaube, er hat Schwimmhäute zwischen den Zehen.

An der einen Hand hat er nur vier Finger.

Beim Friseur hat er sich das Haar frisieren und den Schnurrbart schneiden lassen.

Ich bin hinter ihm gestanden, als er die große Schlange aus dem Schrank nahm und sie sich um den Hals legte.

Als wir spazierengingen, ist er plötzlich im Wald verschwunden.

Komm mit, hat er gesagt, als ich im Flur, auf dem sein Zimmer liegt, stand und mir die Bilder an den Wänden anschaute.

Immer, wenn ich am großen Haus vorbeigehe, muß ich an ihn denken. Einmal hat ihn das Stubenmädchen dabei ertappt, wie er eine Schlange in sein Zimmer geschmuggelt hat. Es fing an zu schreien und sagte, er dürfe sie nie mehr aus ihren Behältern im Heizhaus nehmen, oder es laufe auf und davon.

Er trägt immer weiße Hemden.

Abends tanzt er manchmal, hat der Oberkellner gesagt.

Als es endlich zu regnen aufgehört hatte, sah ich einen Feuersalamander über den Weg kriechen. Und gleich darauf stand er wie aus dem Boden gewachsen vor mir.

Er hat alle Kinder gern.

Wann immer ich ihm begegne, hat er etwas bei sich.

Er sagt, wir dürften es nicht weitererzählen, daß er seine Lieblingsschlange mit auf sein Zimmer nimmt.

Er hat ein großes, in Leder gebundenes Buch auf dem Tisch in seinem Zimmer liegen. Man kann es aufklappen, es ist hohl. Eine mittelgroße Schlange hat wunderbar Platz drinnen.

Weißt du, wie das ist, wenn einer Schlange der Giftzahn gezogen wird?

Er hat sich in alle Taschentücher sein Monogramm einsticken lassen.

Seine Schuhe sind aus feinstem Lackleder.

Ob er sich immer die Hände wäscht, wenn er ein Tier berührt hat?

Er hat versprochen, uns einmal mitzunehmen.

In die Dschungel.

In den Urwald.

In das Steppenland.

Durch die Wüste.

Kannst du sehen, ob sein Fenster einen Spaltbreit offen ist?

Zuunterst in seinem Schrank liegen viele Landkarten.

Und Felle.

Wenn sein Fenster einen Spaltbreit offen ist, können wir zu ihm gehen.

Kommt, wir wollen zu ihm gehen.

Gute Nacht, lieber Bruder

Auf der schwarzen Tafel steht: Wer lang braucht, der kommt zu spät!

Lydia, heute löschst du den Spruch und morgen wird Melchior einen neuen an die Wand schreiben, sagt Annemarie und stellt die Wassergläser auf den ehemaligen Wickeltisch in der Mitte des Kinderzimmers. Jedes von euch, das Hals und Füße nicht gewaschen hat, geht noch einmal ins Badezimmer. Ihr habt zehn Minuten Zeit, dann will ich euch alle im Bett sehen. Vergeßt nicht, eure Kleider ordentlich hinzulegen. Und du, Robert, mach sofort die Augen zu, du solltest schon längst schlafen!

Annemarie steht am Fenster. Vom großen Haus herüber dringt Licht. Im Speisesaal wird zu Abend gegessen. Der Oberkellner und das Getränkemädchen laufen zwischen den Gästen hin und her. Frau Wimmer sitzt in der Küche an der Küchenkassa. Der Koch nimmt gerade seine Mütze ab und wischt sich mit einem Geschirrtuch den Schweiß von der Stirn. Ella, die Jungköchin, steht beim Herd. Unter ihrer Brust schießt eine Stichflamme hervor, über die sie eine schwarze Pfanne hält. Auch Herr Wimmer läßt sich in der Küche blicken, er macht einen geschäftigen Eindruck. Die Kellnerin, die gerade mit einem Arm voller Flaschen aus dem Keller gekommen ist, tritt hinter Frau Wimmer und sagt ihr an, was sie alles heraufgeholt hat. Das Küchenmädchen und die Abwascherin schichten das Geschirr in die Regale.

Die Kinder sind nun bereits im Bett und ihre Kleider liegen sorgfältig gefaltet auf den Stühlen vor ihren Betten.

Und jetzt wollen wir das Abendgebet verrichten, sagt Annemarie und beginnt das »Ich schließe froh die Äuglein zu . . .« vorzusagen, das die Kinder im Chor nachsagen.

Und jetzt, sagt Annemarie als das Abendgebet zu Ende ist, wollen wir noch für unsere Lieben beten. Zuerst für den Papa und die Mama von Leo und Paula, für den lieben Onkel und die liebe Tante Wimmer, dann für den Vater und für die Mutter von Lydia und Robert, für den lieben Onkel Peter und die liebe Tante Berta und dann noch für Melchiors Eltern, für den lieben Onkel Doktor und seine Frau, die bereits im Himmel sind, von wo sie gütigst auf uns herabsehen mögen. Amen.

Und jetzt erzählst du uns eine Geschichte, sagt Poppa, die lange Python. Ich will die von den fünfhundert blinden und fünfhundert tauben und fünfhundert lahmen und fünfhundert stummen und fünfhundert verkrüppelten Männern hören, von denen ein jeder fünfhundert Weiber hatte, von denen ein jedes fünfhundert Kinder hatte, von denen ein jedes fünfhundert Hunde hatte. Und ich, sagt Freund Mowglie, ich möchte gern die Geschichte von dem Himmel hören, in dem die Königsgeier zu Hause sind und wo sie die Federkleider ausziehen und zu Menschen werden, weil doch im Himmel alle Vögel Leute sind, und wo der Geier Kasanapodole dem Mann Maitchaule nach dem Leben trachtet, der bei den Papageien Maiskaschiri ißt, den See Kapöpikupö austrocknet und von der Nachtigall Murumuruta auf die Erde zurückgebracht wird.

Und ich, sagt Libby-Kuh, ich möchte die Geschichte hören, in der die Riesenpythonfelsenschlange sich am Schwanz des Elefantenkindes festhält und das uralte Fluß- und Sumpfkrokodil sich an der Nase des Elefantenkindes festhält und beide so lange ziehen, bis das Elefantenkind, das bisher nur eine Knollennase hatte, zu einem Rüssel kommt.

Und ich, sagt Leo, ich will die Geschichte von dem Mann hören, der einen Doppelgänger hat und sein Gedächtnis verliert, so daß alle glauben, er sei es, der den Mord begangen hat und der dann, als er in seine Heimatstadt zurückkommt, allen beweisen muß, daß nicht er es war, und das, obwohl er keine Fingerabdrücke mehr hinterlassen kann, weil die Haut an seinen Fingerspitzen verbrannt ist und er selbst nicht mehr weiß, wie es dazu hat kommen können.

Und ich, sagt plötzlich Rhesus, der aus dem Schlaf gefahren ist, ich möchte die Geschichte von »dort läuft eine Maus« und von »wenn sie noch nicht gestorben sind« hören. Und wenn du sie mir nicht erzählst, dann schlaf ich überhaupt nicht.

Gut, sagt Annemarie, und mit welcher Geschichte soll ich anfangen?

Mit meiner, schreien alle Kinder zugleich.

Da setzt Annemarie sich auf einen Stuhl in der Mitte des Zimmers und beginnt zu erzählen: » . . . .
. . . .«

Die Kinder hören aufmerksam zu und jedesmal, wenn die bestimmte Stelle kommt, an der sie lachen oder weinen müssen, lachen oder weinen sie, je nachdem was für eine Stelle es gerade ist und als Annemarie fertig erzählt hat, sagen alle Kinder, danke! und schön wars! Nur Freund Mowglie behauptet, Annemarie hätte bei seiner Geschichte einen ganzen Satz ausgelassen, seine Geschichte hätte sonst länger gedauert.

Und jetzt, sagt Libby-Kuh, möchten wir eine neue Geschichte hören, eine, die wir noch nicht kennen, eine andere.

Ja, bitte! sagen auch die anderen Kinder, aber eine ähnliche.

Nein, sagt Annemarie, Schluß-aus-basta-Ende-einfürallemal.

Ich weiß schon warum, schreit Leo, weil dein Herr Wildschwein da unten steht.

Wo? fragt Annemarie. Und dann sagt sie, das geht dich gar nichts an, und wenn du nicht sofort still bist und die Augen zumachst, erlebst du was.

Aha, sagt Leo, jetzt bist du dick da, weil dein Herr Wildschwein in der Nähe ist.

Treibst dus wieder mit deinem Herrn Eber? fragt Freund Mowglie.

Ruhe, sagt Annemarie, ich dreh sofort das Licht aus.

Laß das Licht brennen, sagt Libby-Kuh, ich muß noch.

Wenn du das Licht abdrehst, trau ich mich nicht hinaus und mach ins Bett, dann hast du die Schweinerei.

Dort unten steht er, dein Herr Wildschwein, dort unten im Dunkeln, hinterm Baum. Man kann ihn nicht sehen, weil er sich versteckt hat. Aber ich weiß, daß er dort unten im Dunkeln hinterm Baum steht, sagt Leo und sieht zum Fenster hinunter.

Wenn du nicht augenblicklich im Bett bist, sagt Annemarie, dann . . .

Dann kann dein Herr Wildschwein dort unten im Dunkeln hinterm Baum noch lang auf dich warten, nicht? Ich hab Angst, sagt Libby-Kuh, zum Schluß versteckt er sich einmal gerade am Klo, wenn ich noch muß.

Er hat einen Schnauzbart, sagt Leo, und hinken tut er auch.

Ist ja nicht wahr, sagt Annemarie.

Und wenn er dich mitnimmt? fragt Rhesus.

Wenn er dich mitnimmt und in seine Höhle steckt und dir bloß rostige Schuhnägel und Pech zu essen gibt? fragt Libby-Kuh.

Du möchtest aber gern zu uns zurück und kannst nicht, weil er dich in seiner Höhle drin festhält, sagt Poppa, die lange Python.

Und du weinst und weinst, sagt Freund Mowglie, aber er kümmert sich gar nicht darum und schiebt einen großen Stein vor seine Höhle, gegen den du dich stemmen kannst, soviel du willst, du bringst ihn nicht weg.

Und dann fängt es zu regnen an und auch in der Höhle drin steigt das Wasser, und alle Tiere, die Molche, Lurche und Ratten, sogar Kröten und Schlangen schwimmen um dich herum, und du weißt nicht, wo du hin sollst und bist schon ganz verzweifelt, sagt Leo.

Annemarie dreht das Licht aus. Das ist mir alles lieber, als eure Zicken und Mucken. Ich werd mirs gut überlegen, vielleicht komm ich gar nicht wieder.

Du mußt aber, schreien die Kinder, du mußt, du mußt, du mußt!

Der Bericht

Zuerst haben wir im Garten gespielt. Annemie war nicht da, sie hatte ihren freien Nachmittag. Wir haben uns ruhig verhalten und Ball geworfen. Herr Hamelin war nicht zu Hause, sein Fenster war keinen Spaltbreit offen. Dann haben wir Abfangen und danach gar nicht mehr gespielt.

Wir wollten immer schon einmal allein in den Wald gehen. Das hatten wir uns schon vor langer Zeit ausgemacht. Wenn wir mit Annemie gehen, müssen wir immer auf dem Weg bleiben. Auch Herr Hamelin wollte uns einmal mitnehmen, aber er hat es vergessen. Bis zur Jause wollten wir wieder da sein, da hätten wir gar nichts zu sagen brauchen. Ihr hättet geglaubt, daß wir hinten am Stangenberg spielen waren.

Den Ball haben wir im Garten versteckt. Dann haben wir uns auf den Weg gemacht. In der Allee haben wir ein paar Kastanien aufgehoben und sie ein Stück mit uns getragen. Dann war uns das unbequem und wir haben sie fallen lassen. Wir dachten, daß wir beim Nachhausegehen ja wieder welche sammeln könnten. Die ganze Zeit über ist uns niemand begegnet. Wir sind dann quer über die Felder und in der Nähe des Bachs in den Wald hineingegangen.

Es war schön im Wald. Wir haben einen Marder gesehen und Spechte. Der Boden war noch feucht, wir sind aber nicht hingefallen. Wir konnten uns immer noch rechtzeitig an einem Zweig festhalten, wenn wir ins Rutschen kamen. Wir haben Äste abgebrochen und uns Stöcke daraus gemacht. Die Haselnüsse waren schon reif und wir haben alle abgepflückt, die wir finden konnten.

Eigentlich wollten wir gar nicht so tief in den Wald hinein, aber wir haben mit unseren Stöcken zielgeworfen und wo immer der Stock lag, von dort sind wir weiter gegangen, so sind wir immer tiefer hineingekommen. Natürlich haben wir immer gewußt, wie wir zurückgehen müssen. Wir hätten uns ganz bestimmt nicht verirren können.

Dann wollten wir nur noch so weit gehen, bis wir wieder an den Bach kämen. Vielleicht wären Fische drin. Wir hatten ein paar gekrümmte Stecknadeln bei uns und Angelschnüre. So haben wir schon öfter Fische gefangen. Wir hätten uns ein Feuer machen und die Fische daran braten können, aber dazu ist es nicht mehr gekommen.

Wir haben in einem Ameisenhaufen gestochert und dann ein paar Haselnußschalen hineingeworfen, obwohl wir wissen, daß das die Ameisen stört. Wir werden es nicht wieder tun. Wir hätten doch den Ball mitnehmen sollen, denn dann sind wir zur Lichtung gekommen, da hätten wir Platz genug gehabt. Nur wo die Bäume wieder anfingen, lagen ein paar Reisighaufen. Wir überlegten, was wir jetzt spielen sollten, denn das Zielwerfen war uns schon langweilig und Zeit war auch nicht mehr viel. Zum Zurückgehen aber war es noch zu früh. Da fiel uns das Vater-Mutter-Kind-Spiel ein, den Bach hatten wir ganz vergessen. Wir haben mit der Hochzeit angefangen. Wir wollten das Spiel schnell spielen, damit wir noch rechtzeitig zur Jause nach Hause kämen. Wir stellten uns also ordnungsgemäß auf, machten die vorgeschriebenen Bewegungen und sagten ein kurzes Gebet auf. Alles ging wie sonst vor sich, nur beim Bestimmen der Reihenfolge waren wir uns nicht gleich einig. Wir stritten uns eine Weile herum, obwohl eigentlich alles feststeht, nur werden die Rollen jedesmal neu verteilt, das heißt, die drei größeren Kinder können sich aussuchen, ob sie den Vater, die Mutter oder den Pfarrer spielen, die kleineren, ob sie das erste oder das zweite Kind sein wollen. Die kleineren Kinder sind für die Rollen der größeren noch zu klein und könnten sie gar nicht spielen.

Als alles entschieden war, begannen wir zu singen und im Kreis zu gehen, was für die Hochzeit und zugleich auch für die Taufe gilt. Dann mußten Libby-Kuh und Rhesus, die die Kinder spielten, sich verstecken. Wir, die Eltern und der Pfarrer, warten eine Weile, dann beginnen wir in die Richtung zu gehen, in der wir zu einem Kind zu kommen glauben. Wenn wir das erste gefunden haben, heben wir es auf und zugleich aus der Taufe. Dabei muß das Kind laut schreien, bis es hinten eins draufkriegt, von den Eltern in die Arme genommen und an die Brust gelegt wird. Beim zweiten Kind ist es dasselbe. Wenn nun beide Kinder auf der Welt und getauft sind, werden sie vom Pfarrer gleich noch gefirmt und von den Eltern aufgezogen, nämlich an den Haaren, wobei sie wieder zu schreien anfangen, was aber nicht nötig wäre, denn die Eltern ziehen gar nicht fest.

Wir waren gerade dabei das zweite Kind, Rhesus, zu suchen, den wir in einem Reisighaufen vermuteten. Wir schlichen uns an und Freund Mowglie wollte sich gerade nach Rhesus bücken, der wirklich unter einem Reisigast hockte, als er ausrutschte und mit den Händen in die Höhe fuhr, um sich an irgendetwas festhalten zu können. Plötzlich hatte er einen Schuh in der Hand und wir wunderten uns alle sehr darüber und sahen nach, von wo der Schuh hergekommen sein könnte und da sahen wir plötzlich noch einen Schuh in der Luft hängen und einen nackten Fuß, von dem der Schuh, den Freund Mowglie in der Hand hielt, stammte. Die Füße aber hörten genau dort auf, wo das Laub des Baumes anfing. Nur Freund Mowglie und Rhesus, der auch aufgeschaut hatte, konnten mehr sehen und Freund Mowglie schrie, da hängt einer! Rhesus begann zu weinen und mit einemmal fingen sie zu laufen an und wir liefen hinterdrein.

Und wir liefen und liefen, bis wir ganz erhitzt waren und auf die Kleineren warten mußten, die nicht mehr nachkamen, aber da waren wir fast schon wieder draußen aus dem Wald. Und erst als wir durch die Allee gingen, konnten wir wieder sprechen und Freund Mowglie sagte, wenn ihr bloß gesehen hättet, wie der da hing! Und da tat es uns leid, daß wir so schnell davongelaufen waren, ohne genau hinzusehen, aber wenn wir noch einmal zurückgegangen wären, hätten wir nicht rechtzeitig zur Jause da sein können.

Wie eine Geschichte
zur anderen ›du‹ sagt

Andere Kinder wären froh, sagt Leo, wenn sie jeden Tag bis zur Jause im Garten spielen dürften. Es würde ihnen gar nicht einfallen darauf zu dringen, auch noch zwischen Jause und Abendessen draußen zu bleiben. Andere Kinder wären froh, sagt Poppa, die lange Python, wenn sie so viele Äpfel essen könnten wie wir. Sie würden das Kerngehäuse keinesfalls stehenlassen, sondern alles mit Butz und Stengel aufessen, oder? Andere Kinder wären froh, sagt Freund Mowglie, wenn sie abends müde ins Bett fallen könnten und würden nicht im entferntesten daran denken, noch aufbleiben zu wollen.
Andere Kinder wären froh, sagt Libby-Kuh, wenn sie eine so nette und gerechte Kinderfrau hätten und sie

würden alles tun, um sie bei guter Laune zu halten. Andere Kinder wären froh, sagt Rhesus, wenn ältere Kinder sich um sie kümmern würden und sie würden sich bestimmt nicht darüber beklagen.

Andere Kinder haben es gut, sagen die Kinder. Wir gäben etwas darum, wenn wir andere Kinder wären. Vielleicht könnten wir dann schwimmen gehen –
oder auf einen Berg steigen –
oder in einem Boot fahren –
oder Pingpong spielen –
oder schießen.

Dürfen wir ans Wasser gehen? fragen die Kinder Annemarie, die mit der zu strickenden Strumpfhose in der Hand auf dem Balkon des kleinen Hauses sitzt.

Der See ist ganz ruhig heute.

Das ist die Ruhe vor dem Sturm, sagt Annemarie. Herr Wimmer hats verboten.

Da beschließen die Kinder, zum Gärtner ins Gewächshaus zu gehen. Der Gärtner ist taub. Er sagt Grüß Gott! als er der Kinder ansichtig wird. Die Kinder aber machen anstatt zu grüßen nur den Mund auf.

Der Gärtner fordert die Kinder auf, ihm beim Unkrautjäten zu helfen. Die Kinder aber werfen mit kleinen Steinen, die sie aus der Erde der Blumentöpfe klauben. Da schilt der Gärtner die Kinder Nichtsnutze und weist ihnen die Gartentür.

Die Kinder stehen nun vor dem Garten und wissen nicht, was tun und was lassen. Und so tun sie nichts und lassen sich die Sonne auf den Kopf scheinen.

Wenn die Sonne untergeht, was ist dann? fragt Freund Mowglie.

Nacht, antwortet Libby-Kuh.

Und wenn die Sonne wieder aufgeht?

Morgen, antwortet Rhesus.

Nein, sagt Freund Mowglie, dann ist Dienstag! und er macht zweimal hintereinander einen Kopfstand.

Leo hat eine Idee. Er sagt auch den anderen, daß er eine Idee hat, und schon gehen alle auf das kleine Haus zu, steigen die Treppe empor, treten auf den Balkon, erzählen Annemarie, sie wollten drinnen spielen und klettern heimlich auf den Dachboden. Dort setzen sie sich auf mehrere gebündelte Jahrgänge der Zeitschrift »Der Gastwirt«, Poppa, die lange Python, hängt sich die räudige Boa ihrer Mutter um den Hals und Freund Mowglie legt sich mit Hilfe eines Bruchbandes den Arm in die Schlinge.

Jetzt erzählen wir uns was, sagt Leo.

Aber was? fragen die anderen.

Es war einmal ein Mann, sagt Poppa nach einer Weile, der hatte weder Arme noch Beine. Wenn ihr das hören wollt, dann seid still!

Und die anderen sind still.

Er war von Geburt aus so, drum machte er sich nicht viel daraus, obwohl er natürlich gern gewußt hätte, wie es ist, wenn einem jemand die Hand schüttelt oder wenn man jemanden zur Tür hinaus tritt.

Mußte er immer im Bett liegen? fragt Rhesus.

Nein. Sie steckten ihn tagsüber in eine große chinesische Blumenvase und wenn er genug hatte und nicht mehr wollte, brauchte er nur zu rufen, dann kam seine Frau, nahm ihn heraus, legte ihn in eine Hängematte und schaukelte ihn. Und wenn er auch das nicht wollte, sagte er »Schluß für heute« und seine Frau nahm ihn aus der Hängematte und legte ihn aufs Sofa.

Hatte der Mann auch Kinder? fragt Libby-Kuh.

Ja, und zwar vier, sagt Poppa. Dem einen fehlte der linke Fuß, dem einen der rechte, dem einen die rechte Hand, dem anderen die linke.

Und sonst waren sie gesund? fragt Leo.

Sonst waren sie gesund, bis auf zweimal Schnupfen im Jahr. Den einen kriegten sie im Herbst, wenn kein Kukkuck mehr kuckuck sagt und den anderen im Frühjahr, wenn man keinen Hund mehr hinter den Ofen locken kann.

Und weiter? fragt Freund Mowglie.

Weiter gehts nicht. Aber erzähl du doch was.

Es war einmal eine Frau, sagt Freund Mowglie, die strickte und strickte den ganzen Tag lang und das jeden ganzen Tag lang. Sie strickte sich ein Haus und einen Garten und einen Ofen und ein Bett. Und weil sie noch immer nicht zufrieden war, strickte sie sich auch noch einen Hund. Und damit dieser Hund wie ein echter Hund aussah, hatte sie ihm die Spitzen ihrer Stricknadeln als Zähne ins Maul gesteckt.

Von da an strickte die Frau nicht mehr, sondern spielte nur mit ihrem Hund, bis sie vom Stricken keine blasse Ahnung mehr hatte. Doch eines Tages, als der Briefträger schon vom gestrickten Gartentor her ganz laut rief, ein Eilbrief! ein Eilbrief! warf die Frau vor Aufregung den Hund so ungeschickt an die Wand, daß seine Zähne sich in den Maschen verfingen. Und ritsch-ratsch, so schnell konnte die Frau gar nicht schauen, war das Dach über ihrem Kopf aufgetrennt und gleich darauf das ganze Haus und der Garten mitsamt dem Gartentor und der Ofen und das Bett und beinah wär auch die Frau aufgetrennt worden, aber zum Glück war nur ihr Kleid gestrickt.

Und der Hund? fragt Rhesus.

Den Hund hat die Frau dann vor lauter Wut selbst aufgetrennt.

Der arme, sagt Rhesus, und jetzt erzähl ich euch eine Geschichte.

Ach du, sagen die anderen, du kannst ja gar nicht.

Doch, sagt Rhesus. Es war einmal ein Kind und das hatte Geburtstag. Und weil die Eltern ihm etwas Besonderes schenken wollten, ließen sie bei einem Bäcker eine große Torte backen.

Da beißt sich ja der Affe in den Schwanz, sagt Leo.

Was soll denn an einer Torte so besonders sein? fragt Libby-Kuh.

Also sag schon, was mit der Torte war, sagt Freund Mowglie. Hat sie gebissen, gekratzt oder Küßchen gegeben?

Sie hat gequiekt.

Gequiekt? fragen alle.

Auf der Torte sind nämlich Marzipanschweinchen herumgelaufen, die nach den Schokoladentrüffeln gesucht haben.

Marzipanschweinchen? das ist gar nichts, sagt Libby-Kuh. Es war einmal ein Kind, das aß am Weihnachtstag eine Marzipankugel, und da sie ihm so gut schmeckte, aß es am ersten Tag nach Weihnachten zwei Marzipankugeln, und am zweiten Tag nach Weihnachten drei, am dritten Tag nach Weihnachten vier usw., also jeden Tag eine mehr. Und als wieder Weihnachten war und das Kind bereits dreihundertfünfundsechzig Marzipankugeln an einem Tag essen mußte, steckte es nach der letzten Kugel, die kaum mehr in seinem Mund Platz hatte, den Finger zwischen die Lippen und bemerkte zu seinem größten Erstaunen, als es ihn wieder herauszog, daß es aus Versehen ein Stück davon abgebissen hatte und dieses Stück nach Marzipan geschmeckt haben mußte, sonst wäre das Kind ja rechtzeitig draufgekommen.

Von diesem Tag an gab es in der ganzen Stadt keine Marzipankugeln mehr, da das Kind sie alle aufgegessen hatte. Da begann es probehalber seinen zweiten Finger abzubeißen, der ebenfalls nach Marzipan schmeckte, dann den dritten und den vierten und den fünften und da es noch immer nicht satt war, die Hand, und dann den ganzen Arm. Und so lange biß das Kind von sich selber ab, bis es sich gänzlich aufgegessen hatte, nur sein Kopf war noch übriggeblieben. Den trugen dann die Eltern des Kindes ins Museum, damit alle Leute ihn besichtigen konnten.

Da könnte ich euch noch ganz etwas anderes erzählen, sagt Leo.

Erzähl, sagen alle.

Es war einmal ein Mörder, sagt Leo, den die Polizei nicht finden konnte, weil er tagsüber schlief und nachts aussah wie alle anderen Leute. Er hatte nur ein Kennzeichen und das war seine Angst vor Kindern. Da aber nachts die Kinder schliefen, konnte ihm soweit nichts passieren. Eines Nachts aber, als ein Bub beim Spielen mit Streichhölzern das Haus, in dem er wohnte, angezündet hatte, dann aber geradewegs in die Wirtsstube und auf den Mörder zu gelaufen kam, da er ihn für seinen Vater hielt, geschah es, daß der Mörder sofort unter den Tisch kroch und zu winseln begann, bis ihm der grüne Schaum vorm Mund stand und er nicht wußte, was aus ihm werden sollte. Da schnappten sie ihn natürlich und brachten ihn ins Gefängnis. Der Bub aber bekam eine Medaille und einen Sack voller Geld. Um das Geld konnte er sich ein neues Haus kaufen und als er das getan hatte, ging er wieder auf Mörderfang, denn es gab noch ein paar in der Umgebung.

Das könnten wir machen, sagt Freund Mowglie, vielleicht bekommen wir dann auch eine Medaille oder einen Preis und einen Sack voller Geld.

Das wär was, sagen die anderen Kinder, gehen wir Mörder fangen!

Wenn ihr wollt, sagt Leo, können wir nach dem Essen anfangen.

Den Mann im Mond
singen hören

Es ist dunkel im Wald. Dort, wo ich gehe, wachsen keine Bäume. Wie ich so gehe, bekomm ich Durst. Da ist vor mir ein Brunnen, ich will daraus trinken. Es sitzt eine Kröte drin, die das ganze Wasser ausgetrunken hat. Sie ist so dick, daß sie weder hineinfallen, noch herausklettern kann. Ich nehme einen Stock und bohre ein Loch in die Kröte. Da kommt das Wasser wieder heraus. Es ist grün und gelb und ich lauf davon.
Wie ich so laufe, komm ich zu einem Haus. Ein Mann schaut zur Tür heraus. Er trägt einen schwarzen Bart und einen weißen Bademantel und macht mit dem Finger »komm!«. Da geh ich zu ihm ins Haus. Das Haus hat keine Zimmer und nichts, man kann bis unters Dach se-

81

hen. Es stehen überall Töpfe und Tiegel herum. Der Mann zeigt sie mir alle und erklärt, was drin ist. In manchen brodelt es. Ich will Wasser haben. Ich will aus einem Topf trinken, in dem Wasser ist. Der Mann hat kein Wasser. Darauf sagt er, ich soll ihm mit einem Messer in die Seite stechen, da kämen Blut und Wasser heraus, das soll ich trinken. Ich will reines Wasser haben, ohne Blut. Vor Blut ekelts mir, sag ich. Ich werde dir Wasser herbeischaffen, sagt der Mann und sieht noch einmal in den Töpfen nach. Die Töpfe sind mit einemmal leer. Der Mann zuckt mit den Achseln und wird größer und größer, bis er mit dem Kopf durchs Dach stößt und das ganze Haus mitreißt und es wie einen Schal um den Hals hängen hat, während ich klein bleibe. Da steh ich im Freien, weil der Mann doch das Haus mitgenommen hat. Ich hab Angst und lauf davon. Es ist dunkel und ich kann die Wolken am Mond vorbeifliegen sehen. Da ist gar kein Mond. Sie sind ganz geschwollen vor lauter Wasser und wollen und wollen keins ablassen. Da lauf ich auf einen Berg, um eine von den Wolken zu erwischen und ich strecke mich, so gut es geht. Sie fliegen immer vorbei und als ich dann eine zu fassen krieg, ist sie aus Watte und schmeckt ganz sonderbar, so sonderbar, daß ich vor lauter Schreck den Berg hinunterfalle. Ich hab mir nicht weh getan dabei. Dann geh ich wieder und geh und es ist eine seltsame Gegend, in der ich da geh, kein Fluß, kein See und kein Meer, nur Wege und Land und das ändert sich nicht. Bis ich plötzlich einer Schar Enten begegne, die quakend vor mir herwatschelt. Ich geh ihnen nach, weil Enten im Wasser schwimmen. Ihre Schwimmfüße sind ganz ausgefranst und ziemlich schmutzig. Ich weiß, daß sie zum Wasser gehen und geh mit. Dabei beißen sie mich immer in die Waden.

Nach einer Weile kommen wir zu einer Entenlacke und die Enten sind sehr aufgeregt und flattern so stark mit ihren Flügeln, daß ich gar nichts sehen kann. Als ich wieder sehen kann, haben die Enten mit ihren aufgepluderten Leibern die ganze Lacke zugedeckt und für mich ist kein Tropfen übrig.

Hilfe, schrei ich, Hilfe, ich verdurste. Die Enten pludern sich immer stärker auf, bis sie selbst in der Lacke keinen Platz mehr haben. Es will keine der Enten aus der Lacke gehen. Da fallen sie übereinander her und beißen sich mit ihren Schnäbeln die Leiber auf. Es strömt die ganze Luft aus und ein Wirbelsturm entsteht, der mich hin und her wirbelt und weit fortträgt. Von den Enten ist nichts übriggeblieben als ein Haufen Federn und viele aufgerissene Schnäbel.

Da träumt mir, daß ich träume, ich fliege und unter mir ist Wasser, grünes, blaues und schwarzes Wasser, gar nicht tief. Ich kann sehen, wie es so daliegt. Es bewegt sich nicht, es schwimmt auch nichts darin, es ist einfach Wasser und ich will mich hinunterfallen lassen. Es geht nicht. Der Wirbelsturm wirbelt mich immer weiter fort, immer weiter, bis das Wasser aufhört und ich mit einem Krach zu Boden falle.

Da träumt mir nicht mehr, daß es ein Traum ist und alles ist trocken wie vorher. Ich kann nicht mehr gehen. Ich muß auf allen Vieren weiterkriechen. Die Zunge hängt mir zum Hals heraus und schleift auf dem Weg nach. Da bleiben Staubkörner, Steinchen und kleine Käfer an ihr kleben und sie wird wie ein Brett, ich kann sie nicht mehr einziehen. So kriech ich ungeheuer lang, bis ich wieder Wasser rieche. Komisch, ich rieche das Wasser, wo ist es denn? Ich kanns nur nicht sehen, weil ich krieche, und so seh ich es erst, als ich schon fast drin bin. Plötzlich höre ich Kindergeschrei und Vogelgekrächz und da ist wirklich Wasser. Lauter nackte Kinder stehen drin und Vögel, die ihre Schnäbel wetzen und alle, die Kinder und die Vögel machen ins Wasser und da steigt es andauernd.

Da wünsche ich mir, ich wäre eine Schlange, eine feiste, lange, häßliche Schlange, um die Kinder und die Vögel verscheuchen zu können, damit sie nicht mehr ins Wasser machen. Und wie ich auf meine Zunge sehe, ist sie schon gespalten und wie ich sie mit den Händen anfassen will, kann ich nicht mehr, weil ich keine Hände habe. Da lasse ich mich ins Wasser fallen und schwimme auf die Kinder zu. Sie haben keine Angst vor mir und schreien, Poppa, Poppa! Da kommt Rhesus und setzt sich auf meinen Rücken und sagt, du bist zu spät gekommen, wir haben lang auf dich gewartet. Und auch er hat ins Wasser gemacht. Ich kann das doch nicht trinken. Dann bist du gekommen, sagt Poppa, die lange Python, zu Annemarie, und hast dreimal in die Hände geklatscht, da sind alle Kinder davongerannt und die Vögel sind fortgeflogen. Da bin ich aufgewacht.

Ich war noch immer durstig und bin zu den Wassergläsern gegangen, die waren aber leer. Ich war schrecklich durstig. Und da sind mir die Blumen eingefallen und ich hab sie aus der Vase genommen und das Blumenwasser getrunken. Und als ich dann wieder im Bett war, ist mir übel geworden und ich hab das ganze Bett vollgespien und dann bin ich eingeschlafen und alles ist stocksteif geworden.

So, sagt Annemarie und führt Poppa ins Badezimmer.

Die Wildnis

Eine Hütte ist eine zweite Haut, sie schützt vor Wind und Wetter.

Eine Hütte ist ein Dach über dem Kopf, ein Hut auf dem Haar, Haar auf dem Kopf.

Eine Hütte gehört dir oder mir oder uns oder nicht uns. Von der Hütte zum Königshaus.

Eine Hütte duckt sich, ist windschief, klebt an einem Abhang.

Sie läßt ihren blauen Rauch sich himmelwärts kräuseln.

Sie läßt ihre Sparren knarren.

Sie hält dicht oder nicht.

Eine Hütte ist aus Brettern und Balken, aus Laub und Rinde, aus Ästen und Knütteln, aus Bäumen und Sträuchern, aus Heu und Stroh, aus Eis und Schnee, aus Lehm und Dung, aus Pappe und Wellblech, aus Kunststoff und Fertigteilen.

Hütten schießen über Nacht aus dem Boden.

Eine kleine Hütte ist eine kleine Hütte und eine verfallene Hütte ist eine verfallene Hütte, eine Berghütte aber ist keine Talhütte und wer sich eine Hütte baut, kann dies selten oder oft und oft tun.

Hütten sind klein, aber geräumig.

Man sitzt abends in der Hütte und redet beim Hüttenlicht.

Man schläft in der Hütte und ißt am Hüttentisch.

Man trägt an den Füßen Hüttenschuhe.

Auch Hütten haben eine Schwelle.

Hütten sind friedlich oder stehen in Flammen.

Sie werden wohlweislich verschlossen, ihre Ritzen verstopft.

Abbruchreife Häuser heißen manchmal auch Hütten.

Eine Hütte ohne Herd, na ja!

Bauen wir uns jetzt eine Hütte oder bauen wir uns keine? fragt Rhesus.

Speere wollten wir uns auch schnitzen, sagt Freund Mowglie.

Und auf die Jagd gehen, sagt Leo.

Und sie fangen an.

Ich möchte, daß die Hütte zwei Eingänge hat, sagt Leo, damit wir einen Ausweg haben, wenn wir verfolgt werden.

Dann ziehts aber, sagt Freund Mowglie, wenn die Hütte zwei Eingänge hat.

Und Rhesus sagt, wir brauchen überhaupt keinen Eingang, wir können ja auch durchs Fenster ein- und aussteigen.

Leo macht das Zeichen für plemplem: daß wir erst recht in der Falle sitzen!

Warum können wir nicht eine gewöhnliche Hütte mit einem Eingang, der zugleich der Ausgang ist und mit zwei gewöhnlichen Fenstern bauen? fragt Freund Mowglie.

Wir bauen uns eine Hütte mit einer Tür und mit einem Fenster, sagt Leo, und damit Punktum.

Die Hütte schießt aus dem Boden, die Wände recken sich, die Tür öffnet sich einladend, das Fenster blinzelt verschmitzt, das Dach sitzt wie eine Kappe, der Innenraum scheint wohnlich, die Tür wird zugesperrt, das Fenster verhängt, der Boden gesäubert, die Decke soll nicht durchhängen, der Wind nicht an den Ästen rütteln, die Sonne nicht zu sehr blenden.

Als die Hütte fertig ist, haben Leo, Freund Mowglie und Rhesus gerade darin Platz. Sie sitzen auf einer umgestülpten Kiste und lehnen sich mit dem Rücken gegen die Wand der Hütte, die diesem Druck standhält. Leo zieht eine Packung Schokoladezigaretten aus der Tasche, nimmt sich eine heraus, zündet mit einem Streichholz das Papier an und läßt sich die flüssige Schokolade in den Mund tropfen.

Auch eine? fragt er Freund Mowglie, der nickt und ihm die Hand hinhält.

Und ich? fragt Rhesus.

Du hast nicht zu rauchen, sagt Leo.

Ob wir die Hütte Libby-Kuh und Poppa zeigen sollen? fragt Freund Mowglie.

Leo schüttelt den Kopf. Die fangen hier noch zu kochen an.

Ich kann auch kochen, sagt Rhesus, ich werd euch zeigen, wie ich kochen kann.

Leo wirft den angesengten Filter weg und tritt ihn aus.

Zuerst müssen wir auf die Jagd gehen, alles andere ist ein Kinderspiel. Für heute genügen die alten Waffen, kommt!

Die Kinder schleichen sich aus der Hütte, robben durchs Gras bis an den lebenden Zaun, an dem sie in gebückter Haltung entlangsausen, Leo und Freund Mowglie dicht hintereinander, Rhesus keuchend und in einigem Abstand. Gegen das Haus zu gedeckt vom Zaun, laufen sie über die Straße, sausen einen anderen Zaun entlang, robben durch eine neue Wiese, bis sie die Bäume am Bachufer erreichen, hinter denen sie sich wieder aufrichten und die Böschung hinunter bis zum Wasser laufen können.

Rhesus läßt sich erschöpft niederfallen, während Leo und Freund Mowglie ein paar Steine und Strauchwerk von ihrem Waffenversteck heben. Speere, Pfeile und Bogen, Angelhaken und Drahtschlingen liegen in beträchtlicher Anzahl und gut erhalten da. Jeder kann sich das seinige nehmen, sich auszurüsten.

Fischen? fragt Rhesus, wollen wir fischen?

Leo und Freund Mowglie suchen sich je eine Angel aus.

Soll ich euch Würmer bringen? fragt Rhesus.

Gib her, sagt Leo, spieß ihn mir drauf. Aber der da ist zu lang, siehst du das nicht?

Rhesus reißt den Wurm in der Mitte entzwei und gibt ihn Leo, der den Wurm ordnungshalber noch einmal entzweireißt.

Gib mir auch einen, sagt Freund Mowglie, und glotz nicht.

Dann sitzen alle drei eine Weile ruhig da und lassen ihre Angelschnüre ins Wasser hängen. Aber nichts erfolgt. Da singt Rhesus: Fisch-zisch! Fisch-zisch! Fisch-zisch! Ruhe, sagt Leo, du verscheuchst sie noch.

Wieviele Fische sind in dem Bach? Wie schnell schwimmen die Fische, die in dem Bach sind? Wie lange bleiben die Fische auf ein und demselben Platz? Wie oft tauchen die Fische aus dem Wasser? Wo verstecken sich die Fische am liebsten? Welche Tarnfarbe haben die Fische üblicherweise? Mit welcher Flosse steuern die Fische und mit welcher schwimmen sie? Wie gut hören die Fische? Mit welchen Augen sehen die Fische ihre Umgebung? Wie lange können Fische ohne Nahrung auskommen? Wie können Fische einen Köder von einer natürlichen Beute unterscheiden? Können sie wirklich unterscheiden? Wann beißen die Fische am liebsten an? Zu welchen Zeiten kümmern sich die Fische gar nicht um das, was vor ihren Mäulern herumschwimmt? Wie muß es zugehen, daß die Fische nach allem schnappen, was ihnen nahe kommt? Wie lange braucht der Fisch, bis er an der Luft erstickt?

Rhesus kriecht auf der Böschung herum und singt: Stockfisch blöder, friß den Köder!

Laß ihn, sagt Freund Mowglie zu Leo, der sich nach Rhesus umdreht. Wenigstens beschäftigt er sich.

Da schreit Rhesus, ich hab was gesehen!

Die anderen antworten nicht.

Ich hab was gesehen, schreit Rhesus wieder, wenn ihrs nicht glaubt, dann schaut.

Was? fragen die anderen.

Ich hab was gesehen, schreit Rhesus, ich hab ein Tier gesehen.

Wo? fragen die anderen.

Da!

Leo und Freund Mowglie ziehen ihre Angelschnüre aus dem Bach.

Was für ein Tier?

Ich hab ein wildes Tier gesehen, schreit Rhesus.

Leo und Freund Mowglie legen ihre Angelschnüre weg und bewaffnen sich mit Speeren und Steinen.

Wo hast du was gesehen?

Da droben, hinter dem Baum, sitzt ein wildes Tier.

Leo und Freund Mowglie pirschen sich die Böschung hoch.

Da, sagt Leo, jetzt hab ich es auch gesehen! Und er wirft einen Speer und dann noch einen. Los! sagt er und gibt Freund Mowglie ein Zeichen. Sie kriechen von zwei verschiedenen Seiten her auf den Baum zu. Freund Mowglie wirft ebenfalls seinen Speer.

Das wilde Tier faucht und kreischt. Die Jagd verursacht Jagdfieber. Speere und Steine. Das wilde Tier läuft den Baum hinauf und wird abermals getroffen. Leo und Freund Mowglie halten den Baum mit je einer Hand umklammert, mit der anderen heben sie die herabgefallenen Steine auf und werfen sie wieder ins Geäst. Da fällt das wilde Tier zu Boden und wird nochmals von Steinen getroffen.

Wir haben ein wildes Tier erlegt, schreit Leo.

Wir haben ein wildes Tier erlegt, schreit Freund Mowglie und heult wie ein Indianer. Beide fassen sich an den

Händen und springen um das erlegte wilde Tier herum.
Ich will es sehen, ich will es bitte auch sehen, sagt Rhesus, der sich auf allen Vieren die Böschung heraufgearbeitet hat.
Wir haben ein dickes, fettes, schwarzes wildes Tier erlegt. Das nehmen wir mit nach Hause und braten es vor unserer Hütte auf dem Spieß.
Das ist eine Katze, sagt Rhesus, sie ist ganz blutig.
Red keinen Unsinn. Wir werden unserem dicken, fetten, schwarzen wilden Tier das Fell abziehen und es am Spieß braten, das wird ganz schön brutzeln.
Das ist eine Katze, sagt Rhesus, nachdem es ihm gelungen ist, noch einen Blick auf das wilde Tier zu tun.
Leo und Freund Mowglie hören auf herumzuspringen und setzen sich neben der Katze nieder.
Die lebt noch, sagt Freund Mowglie, jetzt hat sie sich bewegt. Wenn Annemie das erfährt, ist sie sicher sauer.
Leo stochert mit seinem Speer an der Katze herum. Die lebt wirklich noch.
Wir werfen sie in den Bach, sagt Freund Mowglie, dann glauben alle, daß sie ertrunken ist.
Ja, sagt Leo, wirf sie in den Bach, ich will das Vieh nicht mehr sehen.
Eingraben, bittet Rhesus, lassen wir sie eingraben.
Zum Teufel, sagt Freund Mowglie, die lebt doch noch. Wirf sie in den Bach, hab ich gesagt! Leo ist aufgestanden und gibt der Katze einen Fußtritt. Schuld bist du, sagt er zu Rhesus, du hast uns auf sie gehetzt.
Rhesus beginnt zu weinen. Eingraben, lassen wir sie eingraben.
Wenn sie doch noch lebt! Freund Mowglie gibt der

Katze ebenfalls einen Fußtritt. Sie kollert die Böschung hinunter und bleibt am Ufer liegen.

Wirf sie in den Bach, sagt Leo.

Wieso ich? Freund Mowglie hat sich wieder hingesetzt.

Weil ich es sage, sagt Leo.

Hör auf zu weinen, Rhesus! Freund Mowglie gibt Rhesus sein Taschentuch und sagt, schneuz dich.

Leo geht die Böschung hinunter und gibt der Katze einen letzten Stoß, so daß sie endgültig ins Wasser fällt.

Wohin schwimmt sie jetzt? fragt Rhesus.

Hoffentlich recht weit fort, sagen Leo und Freund Mowglie gleichzeitig. Dann sammeln sie ihre Waffen und Angelschnüre ein und vergraben sie am alten Platz.

Nichts. Kein Fisch, kein wildes Tier, keine Katze, keine Maus. Nicht einmal eine Maus. Der Tag neigt sich. Das Wasser wird kälter. Die Bäume knarren lauter. Nicht einmal eine winzige, elende, graue Wald- und Wiesenmaus. Nicht einmal Heuschrecken. Nicht einmal eine Blindschleiche. Nicht einmal der allerstinkigste, allerschwärzeste und allermickrigste Mistkäfer von der Welt. Kein Vogel singt, kein Hund bellt, kein Stier brüllt. Die Böschung ist sagenhaft leer. Es gibt nichts, aber auch gar nichts, was zu erbeuten wäre. Keinen Fuchs, keine Gans, keinen Storch, keinen Frosch, keinen Marder und kein Huhn. Weder Freude noch Mahlzeit.

Leo, Freund Mowglie und Rhesus schleichen sich zurück, robben durch die Wiese, rennen gebückt den Zaun entlang, überqueren unauffällig die Straße. Sobald sie im Garten sind, gehen sie aufrecht. Sie sehen drein, als hätten die Hühner ihnen das Jausenbrot gestohlen.

Wenigstens die Hütte steht noch.

Was werden wir heute zu Abend essen? fragt Leo. Die anderen geben keine Antwort.

Was ißt ein Jäger und Fischer, wenn der Zufall es will, daß er nichts gefangen hat?

Moos, sagt Freund Mowglie, Moos und Flechten, zu einer Brühe verkocht.

Und was ist mit Beeren und Kräutern?

Beeren und Kräuter gehen auch, wenn man sie findet.

Also dann macht schon!

Ich geh lieber in die Küche und frag Ella, ob sie nicht Fleisch für uns übrig hat, sagt Rhesus, ich geh zu Ella und frag sie.

Ella? fragt Leo, wer ist Ella? Ja zum Teufel, wo glaubst du denn, wo du bist? Wir sind schließlich nicht zu Hause, in der warmen Stube. Wir haben uns unter großen Entbehrungen eine Hütte gebaut und da unser Proviant schon zu Ende ist, haben wir in dieser ausweglosen Wildnis zu fischen und ein wildes Tier zu erlegen versucht. Und da uns beides nicht gelungen ist, stehen wir da, in unserer Not und müssen entweder Beeren und Kräuter oder Moos und Flechten finden, wenn wir nicht verhungern wollen. Und da redest du von Ella.

Laß ihn, sagt Freund Mowglie, er ist einfach zu dumm dazu.

Ich bin aber nicht zu dumm, sagt Rhesus.

Die drei gehen auf die Hütte zu. Zum Glück steht wenigstens die noch. Aber etwas ist daran nicht in Ordnung. Das kann ein Blinder mit einem Aug aus der Nähe sehen.

Hörst du was? fragt Leo.

Siehst du was? fragt Freund Mowglie.

Da ist wer drin, sagt Rhesus.

Da seid ihr ja endlich, sagt Libby-Kuh und streckt ihren Kopf zum Fenster heraus. Ich und Poppa, wir dachten schon, ihr wärt überfallen worden.

So war es auch fast, sagt Freund Mowglie, aber wie kommt ihr da her?

Wir sind euch in diese ausweglose Wildnis gefolgt, weil wir dachten, daß ihr ohne uns nicht weit kommen würdet. Wer soll denn für euch kochen? Und wer eure Schinken in den Rauchfang hängen? Und wer eure Pelze bürsten, wenn nicht wir das tun?

Wir haben euch auch mit Nachschub versorgt, sagt Poppa, die lange Python, und öffnet die Tür der Hütte. Und dazu haben wir euch ein paar Leckerbissen mitgebracht, Dinge, die ihr wohl schon eine ganze Weile nicht mehr zu Gesicht bekommen habt.

Leo, Freund Mowglie und Rhesus pfeifen durch die Zähne.

Dann sagt Leo, Freunde, wir werden für heute eine Ausnahme machen. Sie sollen bleiben.

Freund Mowglie und Rhesus nicken.

Aber morgen, fährt Leo fort, verschwindet ihr wieder. Wir können uns schließlich unsere Schinken selbst in den Rauchfang hängen.

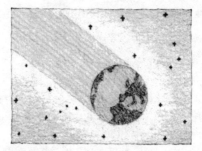

Das bessere Leben

Weißt du, was dann ist, wenn die Welt untergeht? fragt
Leo die Großmutter, die sich Pulswärmer strickt und
dazu schwarzen Kaffee trinkt.
Woher soll ich das wissen? Wenn sie untergeht, geht sie
unter, was soll dann noch sein, sagt die Großmutter,
ohne Leo über den Nickelrand ihrer Brille hinweg anzu-
sehen.
Ist dann alles aus?
Ja.
Und man kann nirgends mehr hin?
Wo soll man noch hin können?
Und die Welt fällt in Stücke?
Wahrscheinlich.
Und wohin fallen die Stücke der Welt?
Nirgendshin.
Wo ist nirgends?

Nirgends ist gar nirgends, das müßtest du aber längst wissen.

Und was geschieht mit den Stücken der Welt?

Nichts.

Und was ist dann, wenn nichts mit den Stücken der Welt geschieht?

Überhaupt nichts.

Weißt du das genau?

Nein.

Warum sagst dus dann?

Weil du mich fragst.

Und wenn die Welt untergegangen ist, wirst du wissen, was dann ist?

Nein.

Warum nicht?

Weil ich auch untergegangen sein werde.

Und ich kanns auch nicht wissen?

Warum solltest ausgerechnet du es wissen können?

Dann will ich nicht, daß die Welt untergeht, wenn ich nicht wissen kann, wies dann ist, sagt Leo und beißt von seinem Liptauer Brot ab.

Vielleicht könnte die Welt aber so untergehen, sagt Poppa, die lange Python, daß wir gar nichts davon merken und plötzlich in einer neuen Welt sind.

Und wie soll diese neue Welt sein, fragt die Großmutter, könntest du mir sie erklären?

Genau weiß ichs auch nicht, sagt Poppa, aber auf jeden Fall anders.

Wie anders?

Na, zum Beispiel so, daß es kein Gras gibt, sondern Badematten, auf denen man das ganze Jahr über barfuß

gehen kann, ohne einen Blasenkatarrh zu bekommen.
Und wo auf beiden Seiten der Straße anstatt Gehsteigen
Rollschuhbahnen sind, daß man überall auf der neuen
Welt hinlaufen kann, sagt Freund Mowglie.
Und wo man nicht erst warten muß, bis man erwachsen
ist, um einen Laster zu fahren, sondern wer einen fahren
kann, der darf auch, sagt Leo.
Und Berge von Spielzeug gibt es dort, sagt Libby-Kuh,
von denen sich jeder nehmen kann, was er braucht,
ohne lang fragen zu müssen. Und wenn mans nicht mehr
braucht, kann mans ja wieder zurückbringen.
Und wo man vor dem Essen schon essen darf und beim
Essen nicht essen muß, aber nach dem Essen wieder
kann, wenn man will, sagt Rhesus.
Der Großmutter ist eine Masche heruntergefallen. Sie
schimpft mit sich selber.
Pulswärmer gibts dort auch eine Menge, sagt Libby-
Kuh, du brauchst sie dir nur zu nehmen.
Und wer soll die Pulswärmer machen?
Libby-Kuh ist eine Weile still, aber dann fällt ihr ein,
wer das tun soll.
Das ist ganz einfach, Leute die gern stricken, so wie du.
Und was kriegen diese Leute dafür, daß sie gern Puls-
wärmer stricken?
Nichts. Sie stricken so viele Pulswärmer, wie sie wollen
und wenn sie fertig sind, legen sie sie an den Platz, an
dem die Pulswärmer liegen und dort kann sich dann je-
der, der Pulswärmer braucht, welche holen.
Und wenns aber dort gar keine Leute gibt, die gern
Pulswärmer stricken?
Libby-Kuh ist wieder eine Weile still, aber dann fällt ihr

ein, was ist, wenn niemand gern Pulswärmer stricken will. Dann gibts eben keine, sagt sie und ist recht froh, daß ihr diese Lösung eingefallen ist und sie sagt, vielleicht gibts auch gar niemanden, der dort Pulswärmer haben möchte.

Darauf würde ich mich nicht verlassen, sagt die Großmutter, also darauf wirklich nicht.

Und ein jeder von uns kann ein eigenes Haus haben, mit einem eigenen Schwimmbad und einem eigenen Wald mit eigenen Wildschweinen und eine eigene Eisenbahn mit einer eigenen Bahnstation und eine eigene Stromleitung mit einem eigenen Tauernkraftwerk und einen eigenen Fluß mit eigenen Fischen und eine eigene Bastelwerkstätte, sagt Leo, und einen eigenen Park mit einer eigenen Laubhütte auch.

Freund Mowglie schüttelt den Kopf. Das ist langweilig, wenn jeder in einem eigenen Haus wohnt. Wenn wir alle zusammen wohnen, werden wir mehr Spaß haben, und man muß nicht erst in seinen eigenen Zug steigen, wenn man mit jemandem reden will.

Du kannst ja mit mir telefonieren, sagt Leo, wenn du mit mir reden willst.

Aber wenn wir miteinander spielen wollen, müssen wir erst wieder von einem Haus zum anderen fahren und vielleicht will man dann gar nicht mehr spielen.

Ich stelle es mir so vor, sagt Poppa, die lange Python, daß wir alle im selben Haus wohnen, aber jeder in einem eigenen Stockwerk. Wir haben dann alle ein eigenes Telefon und wenn wir was voneinander wollen, brauchen wir uns nur anzurufen und mit dem Lift zu fahren.

Oder, sagt Libby-Kuh, wir wohnen alle im selben Haus und im selben Stockwerk und dann haben wir die anderen Stockwerke frei und können in dem einen Stockwerk Ball spielen, wenn es draußen regnet und im anderen essen und im nächsten Theater spielen und im letzten Stockwerk zeichnen und malen. Wenn wir nämlich für alles ein eigenes Stockwerk haben, dann brauchen wir auch nichts wegräumen, es ist ja genügend Platz da.

Und wer soll für euch waschen, bügeln und kochen, in dieser neuen Welt? fragt die Großmutter dazwischen, das würde ich zu gerne wissen.

Annemie, sagt Rhesus, wenn Annemie mitkommt, kann sie es machen. Wenn sie aber nicht mitkommt?

Dann eben du, sagt Leo zur Großmutter.

Und wenn ich auch nicht mitkomme oder einfach keine Lust dazu habe?

Was dann?

Dann machen wirs uns selber, sagt Poppa, die lange Python.

Das möchte ich sehen, das möchte ich wirklich sehen, sagt die Großmutter.

Vielleicht braucht man das dort gar nicht zu tun, sagt Leo. Wir könnten schließlich ein Haus haben, in dem man nur auf einen Knopf zu drücken braucht und dann wäscht und bügelt sich die Wäsche und das Essen kocht sich von selber und man muß nur aufschreiben, was man gern haben möchte.

Großartig, sagt die Großmutter, die Idee ist großartig, Hut ab vor dieser Idee.

Ja, sagt Freund Mowglie, und wenn du zu uns auf Besuch kommst, dann wäscht und bügelt sich auch deine

Wäsche von selber und du kannst einen ganzen Eimer voll schwarzen Kaffee haben, du brauchst es bloß vorher aufzuschreiben.

Großartig, sagt die Großmutter, und was wollt ihr die ganze Zeit über machen?

Was wir wollen, sagt Leo. Wenn wir spielen wollen, dann spielen wir und wenn wir schlafen wollen, dann schlafen wir und mit dem Essen halten wirs ganz genauso.

Wer soll sich denn um euch kümmern?

Anschaffen kann uns überhaupt niemand was, sagt Leo, das gibts dort gar nicht.

Und zur Schule geht ihr wohl auch nicht mehr?

Nur wenn es uns gerade interessiert. Wir haben dort nämlich ein eigenes Kino, weißt du, statt einer Schule, und wenn wir Lust haben, schalten wir den Film mit dem Lehrer ein, aber wenn er uns langweilt, schalten wir ihn wieder ab.

Das möchte ich sehen, wie oft ihr den Lehrer-Film überhaupt einschaltet, das möchte ich wirklich sehen, sagt die Großmutter.

Vielleicht brauchen wir dort gar keinen Lehrer, sagt Rhesus, vielleicht sind wir dann schon von Geburt an gescheit, wenn wir einmal dort sind.

Aber was macht ihr denn zum Beispiel, wenn jeder von euch immer etwas anderes will? Wenn Paula schläft und Leo Krach macht oder wenn Robert mit Melchior spielen will, während Melchior gerade seinen Pudding ißt oder wenn Lydia dasselbe Kleid anzieht wie Paula und Paula das nicht will?

Dann geht Leo eben in ein anderes Stockwerk und ich

esse zuerst meinen Pudding und spiele dann mit Robert und zwei gleiche Kleider gibts dort gar nicht.

Und wenn ihr euch trotzdem streitet? Ihr findet doch auch sonst immer einen Grund, euch zu streiten. Und wenn dann jeder auf den anderen böse ist und euch euer ganzes schöne Haus mit den vielen Knöpfen, auf die man bloß zu drücken braucht und dem eigenen Lehrer-Film-Kino – und was ihr euch sonst noch so vorstellt – gar keinen Spaß mehr macht, was dann? Könnt ihr mir sagen, was dann ist?

Das ist ganz einfach, sagt Libby-Kuh. Wenn wir wirklich dort wohnen, in unserem schönen Haus mit den vielen Knöpfen und allem, wenn das alles wirklich so ist, dann gibt es in diesem Haus auch ein extra Zimmer und in dem extra Zimmer steht ein extra Schrank und in dem extra Schrank steht eine extra Schachtel und in der extra Schachtel sind kleine weiße extra Kapseln und wenn man eine von diesen kleinen weißen extra Kapseln schluckt, dann vergißt man, warum man sich streiten wollte und es fällt einem eine ganze Woche lang nicht mehr ein. Und wenn es einem dann wieder einfällt, dann schluckt man wieder eine kleine weiße extra Kapsel und wenn man das längere Zeit hindurch macht, dann vergißt man langsam, was das überhaupt ist, sich streiten.

Großartig, sagt die Großmutter, da wäre ich nie draufgekommen.

Was es mit einem Wort auf sich hat

Mahlzeit! sagt Leo.
Mahlzeit? fragt Libby-Kuh.
Na, Mahlzeit!
Sagst du Mahlzeit?
Ja, Mahlzeit!
Aber wir essen doch gar nicht.
Ich sag ja nur Mahlzeit!
Ist was geschehen?
Ich kann dir sagen, na Mahlzeit!
Wo? fragt Libby-Kuh, sag wo?
Na Mahlzeit, wenn das die anderen sehen!
Ist es was Arges?
Ich kann nur sagen, Mahlzeit!
Ich wills wissen, sonst sag ich es Annemie.

Na Mahlzeit, das wird was!

Sags.

Wenn Annemie das sieht, na Mahlzeit!

Das Wetter hat umgeschlagen. Die Wolken blähen sich. Der See bekommt Flecken. Es ist merklich kühler geworden. Der Himmel unterscheidet sich in vielem von dem, der er früher war.

Annemarie steigt die Treppen empor.

Annemie, ruft Leo.

Komm bitte, ruft Libby-Kuh.

Als Annemarie die Treppen emporgestiegen ist und auf dem Balkon des kleinen Hauses steht, sagt Leo, da schau, schau dir das an.

Na Mahlzeit, sagt Annemarie, das hätte ich mir gleich denken können. Wenn das Poppa sieht, na dann Mahlzeit! sagt Leo und setzt sich auf den Rand des Balkons.

Du sollst dich nicht auf den Rand des Balkons setzen, sagt Annemarie, sonst liegst du noch unten, ohne zu wissen wie.

Mahlzeit, sagt Leo, das wär was.

Warum sagt ihr denn immer Mahlzeit? fragt Poppa, die lange Python, die sich vom Kinderzimmer her angeschlichen hat.

Na da, schau doch, sagt Leo, schau dir das an. Jetzt ist alles umsonst gewesen.

Mach Paula nicht kopfscheu, sagt Annemarie, so schlimm ist es auch wieder nicht.

Na Mahlzeit, sagt Poppa, mir reichts.

Ich will wissen, was ist, sagt Libby-Kuh. Ich weiß noch immer nicht, was ist. Ich wills wissen.

Wenn du es noch immer nicht kapiert hast, na dann

Mahlzeit, sagt Leo, da kann ich nur Mahlzeit sagen.
Was wird schon sein, sagt Poppa, die lange Python. Daß
du auch immer alles wissen mußt.
Ich will auch Mahlzeit sagen. Libby-Kuh stampft auf
den Balkonboden.
So mach die Augen auf, Lydia, sagt Annemarie, du
mußt lernen, eine Situation von selbst zu erfassen. Und
ihr anderen geht jetzt mit mir hinein.
Du bist dumm, sagt Leo, dumm wie die Nacht.
Wie ein Binkel Heu, sagt Poppa.
Und ihr erst, schreit Libby-Kuh, wenn ihr wüßtet, wie
ihr erst seid.
Na Mahlzeit, sagen Leo und Poppa, die lange Python,
während sie Annemarie folgen.

Herr Wimmer, Annemarie und die Kinder sitzen um
den Eßtisch herum. Frau Wimmer ist noch an der Kü-
chenkasse.
Der Mensch benötigt drei normale, aber mindestens
eine kräftige Mahlzeit pro Tag, sagt Herr Wimmer, also
Mahlzeit allseits!
Mahlzeit, sagen Annemarie und die Kinder. Sie essen
eine Weile schweigend.
Gib mir bitte das Salz, sagt Freund Mowglie zu Libby-
Kuh. Als er es in der Hand hält, läßt er es fallen.
Na Mahlzeit! sagt Rhesus.
Ich bin nicht schuld, sagt Libby-Kuh, jetzt hast du das
ganze Salz in der Suppe, na Mahlzeit!
Ihr sollt nicht immer Mahlzeit sagen, sagt Herr Wim-
mer. Ihr werdet noch begriffsstutzig, wenn ihr nicht
unterscheiden lernt.

Annemarie steht auf und nimmt Freund Mowglies Teller fort. Sie trägt ihn in die Küche und bringt einen frischen. Alle haben zu essen aufgehört. Erst als Freund Mowglies Teller von neuem gefüllt ist, gibt Herr Wimmer das Zeichen und sagt, also nochmals Mahlzeit allseits! und alle fangen wieder zu essen an.

Wie heißt das Losungswort? fragt Libby-Kuh Rhesus, der vor der Laubhütte im Garten steht und zu Libby-Kuh hinein möchte.
Was für ein Losungswort?
Ich kann dich nur reinlassen, wenn du das Losungswort weißt.
Ich will rein.
Es fängt mit M an, sagt Libby-Kuh. Ich darf dich wirklich nicht reinlassen, wenn dus nicht weißt.
Ich will aber rein, sagt Rhesus und beginnt an der Tür zu rütteln.
Und hört mit t auf, sags schon.
Rhesus rüttelt so lange an der Tür, bis er einen Ast herausgerissen hat.
Na Mahlzeit, sagt er, jetzt ist die Tür kaputt.
Warum hast du das Losungswort nicht gleich gesagt? fragt Libby-Kuh.

Es ist still im Kinderzimmer, aber schon sehr hell. Freund Mowglie wacht auf und reibt sich die Augen. Wie er zum Fenster hinaussieht, sagt er ganz laut Mahlzeit, was für ein großartiger Tag!
Da können wir ja schwimmen gehen, Mahlzeit! sagt Leo, der eben auch aufgewacht ist.

Na Mahlzeit, das wird heute ein Tag werden, gähnt Poppa, die lange Python und windet sich aus dem Leintuch, in das sie sich beim Schlafen verhaspelt hat.

Mahlzeit, Mahlzeit! schreit Rhesus und strampelt mit den Beinen, daß ihm die Decke vom Bett fliegt.

Pst, sagt Libby-Kuh, ich glaub Annemie kommt, na Mahlzeit!

Annemarie, die schon eine Zeitlang hinter der Tür gelauscht hat, kommt plötzlich ins Zimmer und sieht eindringlich von einem Bett zum anderen. Sie sieht grimmig aus und stellt die Wassergläser übereinander.

Die Kinder haben sich in ihren Betten verkrochen, nur Rhesus sucht noch nach seiner Decke.

Heute wird kein Spruch auf die schwarze Tafel geschrieben, sagt Annemarie, während sie den gestrigen auslöscht, dafür bekommt jedes von euch einen deutlichen Schlechtpunkt. Glaubt ihr, ich habe nicht gehört, was ihr gesagt habt?

Wir haben geträumt, sagt Freund Mowglie. Wir haben geträumt, daß wir alle schon längst bei Tisch sitzen und da haben wir alle das Wort gesagt. Aber wenn du nicht willst, daß wir es sagen, dann sagen wir es sicher ganz bestimmt nicht wieder.

Na prost, sagt Leo zu Freund Mowglie, wenn wir das gewußt hätten, daß du so lange auf dem Klo sitzen bleibst, hätten wir schon längst angefangen.

Ihr hättet ja ruhig anfangen können, sagt Freund Mowglie und trocknet sich die Hände an der Hose.

Da hättest du aber einen schönen Tanz gemacht, na prost! sagt Libby-Kuh.

Die Kinder spielen Abfangen, dann Ball, dann Verstekken. Als Rhesus beim Laufen bäuchlings in eine Pfütze fällt, sagt Poppa, die lange Python, na Mahlzeit, siehst du aus!

Auf einmal starren alle sie an und sagen, Wahnsinn! Da weiß Poppa, was sie zu tun hat. Sie sagt, na prost! und Leo, Freund Mowglie und Libby-Kuh spielen weiter, während Poppa Rhesus ins Haus führt.

Unterwegs sagt Poppa, die lange Python, wenn das Annemie sieht, na dann prost!

Mahlzeit, flüstert Rhesus und läßt sich von Poppa tragen.

Heute ist ein besonderer Tag, sagt Annemarie, während sie die Kinder badet.

Es ist der Hochzeitstag der Eltern von Leo und Paula. Und sie gibt allen fünfen Anweisung, welche Kleider sie anzuziehen haben.

Sie sind zehn Jahre verheiratet, das ist eine lange Zeit und ihr müßt ihnen alles Gute wünschen.

Ja, sagen die Kinder und gehen, sobald sie fertig sind, ins Eßzimmer, wo sie Herrn und Frau Wimmer alles Gute wünschen, worüber diese sich sehr freuen.

Der Tisch ist hochzeitstagsmäßig gedeckt, es gibt eine feine Bouillon, Beefsteak mit grünen Prinzeßbohnen und als Nachtisch Äpfel im Schlafrock, die Lieblingsspeise von Herrn Wimmer.

Gerade als alle zu essen anfangen wollen, kommt der Oberkellner und holt Frau Wimmer für einen Augenblick, wie er sagt, in die Küche zurück.

Fangt ruhig an, meint Frau Wimmer, sonst wird alles kalt bis ich zurück bin.

Da gibt Herr Wimmer das Zeichen und sagt, Mahlzeit allseits!

Die Kinder sehen einander an, dann sagt Leo, guten Appetit!

Und die anderen Kinder sagen ebenfalls, guten Appetit!

Herr Wimmer blickt auf, räuspert sich und sagt, was sind denn das für Faxen! Und alle beginnen zu essen. Als Frau Wimmer ins Eßzimmer zurückkommt, ist die Familie schon beim Hauptgericht angelangt. Frau Wimmer nimmt ihren Suppenlöffel und taucht ihn in den schon kalten Suppenteller, um die feine Bouillon wenigstens zu kosten und sagt, beinah hätte ich es vergessen, Mahlzeit Kinder! und laßt es euch gut schmecken! Mahlzeit, sagen die Kinder wie aus einem Mund.

Heiße Spuren

Eine Regenpelerine, Ohrenschützer.
Drei m Papierschnur.
Ein Stück Heftpflaster mit einer abgefallenen Knie-
krätze.
Sägespäne und Katzendreck.
Endiviensalat in einem porzellanenen Puppenkopf.
Ein Mikschy-Jahrgang, von dem zwei Hefte fehlen.
Masern, Mumps, Keuchhusten.
Jemand, der etwas gar nicht getan hat.
Ein Badeanzug mit Laufmaschen, Eiterpatzen im Ra-
chen.
Zahnbürsten für das Schuhputzzeug.
Eine Wand mit Wandzeichnungen.
Der gerade gebogene Angelhaken, der als Stecknadel
Verwendung findet.

Rasiermesser und Ofengabel, Gartenschere und Kellerlicht.

Ein geheimer Wunsch, deutlich ausgesprochen.

Rost am Vogelhaus.

Ein Karton Fuchs und Henne, in gut erhaltenem Zustand.

Als der Dachboden brannte.

Freundschaften gehen aus ganz anderen Gründen zugrunde.

Sich ein Schloß kaufen.

Immer wieder nachsehen ist das beste.

Ein Loch ohne Strümpfe.

Wer fürchtet sich vor einem Wilden – niemand.

Eine Kakaoschale mit Zwiebelmuster und Henkel.

Nasen, die sich gesundbluten.

Wer mit Puppen spielt, darf auch Fragen stellen.

Nicht alle Teddybären sind gleich braun.

Bestimmt aber bescheiden.

Das Fronleichnamskleid mit Zierschleifen.

Auch Kleinkinder haben Sorgen.

Wann wir uns wiedersehen – alle Tage.

Die gepreßte Kreuzspinne in der Welt von A–Z.

Kindskopf, Zimperliesl, Urschl, Ziegenpeter.

Fräulein Zizibeh.

Kinder, die ein Vermögen kosten.

Faxen, Faxen, nichts als Faxen.

Es war einmal ein Präsident, der hatte schmerzhafte Hühneraugen. Die ließ er sich von seiner Haushälterin ausschneiden. Da war ihm gleich leichter.

Ofennudel – Apfelstrudel – Kaiserschmarrn.

Genagelte Schuhe zum Bergsteigen.

Wie mans auch weht und drendet.

Galoschen, die mit Leukoplast geklebt sind und trotzdem platzen.

Wann werden die Wolken zu Schafen?

Solange die Kinder im Garten spielen, kann die Kinderfrau sich mit sich selbst beschäftigen.

Bei Daumenlutschen den Daumen mitsamt der Hand abzuschneiden – das ist die alte Methode.

Drei Tage Regen, dafür muß man gerüstet sein.

Was in der Schule geschieht, sollte lieber nicht erwähnt werden.

Schlafengehen ist, was später Rasieren oder der Abwasch.

Wenn jeder seinen Baukran hat, ist die Welt in Ordnung.

Jeden Tag ist nicht Muttertag.

Was die Erfahrung lehrt, kann man nicht oft genug überprüfen. Sie haben doch auch früher bei Kindern gearbeitet.

Nicht nur eine Mühle, auch eine Klapper klappert.

Ein Tonkrug voller Kinderknöpfe.

Rotzglocken, die zu Eiszapfen erstarren, Wasser, das ins Wasser abgelassen wird.

Berge von Kleidern, pflichtgemäß gewaschen und der Caritas geschenkt.

Nasenpfropfen, Halswehtücher, Brustschmalz, Krennketten, Tonerde, Essigpatschen, Reisschleim.

Ein Schießgewehr ist ein Schießgewehr und kein Spazierstock.

Nicht jeder ist klein, der auch fein ist.

Zu Weihnachten ist es stets wie zu Weihnachten.

Viele schöne Kinderhauben.
Wer sich den Hintern verbrannt hat, soll auch nicht stundenlang im kalten Wasser waten.
Wer will schon Grieskoch?
So wie jedes Kind seinen eigenen Teller und seinen eigenen Löffel besitzen, sollte es auch sein eigenes Taschentuch haben, sei es auch noch so klein, das Kind wird sich seiner zu bedienen wissen.
Nasen prägen sich immer zu spät aus.
Nie mehr ein so ein kleiner Lausbub sein.
Wie du mir, so wir ihnen.
Man soll sein Kind doch nicht an einen Schornsteinfeger verkaufen.
Je kleiner der Hals, desto größer das Halstuch.
Wenn der Hunger kocht, wird die Suppe kalt.
Und als sie ihr letztes Stücklein Brot verzehrt hatten, legten sie sich ins Gras und gingen auf Kaugummi über. Das hält länger vor.
Jedes Kind kennt den Trick von versprechen und versprechen.
Die Schnürlsamthosen waren die dankbarsten, man kann sagen was man will.
Augen wie Windmühlenflügel ist gar nichts, Arme wie Wagenräder müßte man haben.
Potz-blitz! da hat schon wieder jemand einen Punkt gemacht.
Die alten Spielhosen und die alten Spieluhren.
Man kann nie genug Fäuste haben.
Nicht immer hallt der Wald wider.
Füße waschen und Hände abtrocknen, so schnell kann man gar nicht schauen.

Schläge sind schlecht, aber ein gutes Mittel – wie Stehlen.
Krach machen sollen die, die das können.
Die Zeit vergeht und man weiß rein nichts mehr.

Viele schöne Kinderspiele...

Ein Kind steckt einem zweiten Kind den Finger in den Mund. Das zweite Kind erwischt den Finger eines dritten Kindes und beißt zu. Das dritte Kind schreit einem vierten Kind vor Schmerz so laut ins Ohr, daß diesem das Trommelfell platzt. Das vierte Kind zieht das fünfte Kind bei den Haaren an sich heran, um besser hören zu können. Das fünfte Kind kratzt dem ersten Kind nach reiflicher Überlegung die Augen aus.

An einem sonnigen Nachmittag spielen die Kinder im Garten. Da begegnet ihnen ein Löwe, der laut vor sich hin brüllt. Flugs stecken die Kinder ihre Daumen in den Mund. Der Löwe aber, der keinen Daumen hat, den er in den Mund stecken könnte, fängt zu blinzeln an und geht verdutzt weiter.

Jemand kommt von draußen herein und legt den Finger auf den Mund. Ein erstes Kind beginnt zu schweigen. Ein zweites Kind schweigt. Alle weiteren Kinder schweigen ebenfalls. Das dauert etwa eine Stunde. Dann sagen alle Kinder gleichzeitig »aua«. Der Bann ist gebrochen.

Eine Schlange liegt in der Sonne und schläft ihren Mittagsschlaf. In der Nähe spielen Kinder mit einem roten Ball. Dieser rote Ball fällt der Schlange auf den Kopf. Zur Strafe will sie ihn beißen, sie erwischt aber statt des roten Balls die Hand eines Kindes. Das tut ihr leid, sie hat es wirklich nicht so gemeint.

Ein Kind sitzt auf der Schaukel und schaukelt. Da kommt ein zweites Kind daher, setzt sich ebenfalls auf die Schaukel und schaukelt nun gemeinsam mit dem ersten Kind. Als ein drittes Kind daherkommt, ist kein Platz mehr auf der Schaukel. Da klettert das dritte Kind auf den Baum, an dem die Schaukel hängt und spuckt dem ersten und dem zweiten Kind auf den Kopf.

Jemand sagt, daß vor der Tür ein Wolf sei. Da nimmt das erste Kind ein Stück blaue Kreide und schreibt damit ein W an die Wand. Das zweite Kind setzt ein O daneben, das dritte Kind ein L und das vierte Kind, das noch nicht schreiben kann, ein Zeichen, das ihm wie ein F vorkommt. Als der Wolf, der zum Fenster hereinschaut, das sieht, kriegt er es mit der Angst zu tun und läuft davon.

Die Kinder sitzen im Kreis und singen »Wer zuerst kommt, malt zuerst«, dazu klatschen sie rhythmisch in die Hände. Plötzlich hören sie zu singen auf und stürzen auf ein in der Mitte des Kreises liegendes Stück Schokolade zu. Dasjenige Kind, dem es gelingt, das Stück Schokolade an sich zu reißen, beißt davon ab und malt dann mit der Zunge allen anderen Kindern einen braunen Punkt auf die Wange.

Die Kinder sind schon lange in der Hitze gewandert und haben großen Durst. Zum Glück steht auf der nächsten Wiese eine Kuh. Die Kinder knüpfen sich aus alten Paketschnüren ein Seil, mit dem sie die Kuh einfangen. Die Kuh sagt nicht einmal »muh« dazu. Dann wird die Kuh gemolken und die Kinder stellen sich vor, sie würden nicht Milch, sondern eisgekühlte, stark gesüßte Zitronenlimonade trinken.

Wer fürchtet sich vorm Briefträger? ruft eins der Kinder, die der herben Witterung wegen in warme Lodenmäntel gesteckt wurden. Niemand! rufen alle. Sie laufen dem Briefträger nach, stellen ihm ein Bein und zerstreuen seine Briefe in alle Winde.

Die Kinder halten sich im Kinderzimmer auf. Ein Kind verkleidet sich, um einen Affen darzustellen. Es spricht mit verstellter Stimme, nimmt aber den anderen Kindern heimlich die Erdnüsse weg. Als die anderen Kinder draufkommen, muß das Kind, das einen Affen darstellt, auf einen Kleiderständer, der einen Baum darstellt, flüchten.

Die Kinder gehen allein in den Wald. Es ist Dienstag und das bedeutet nichts Gutes. Es könnte ein Gewitter kommen, sie würden versuchen, sich unterzustellen und dabei vom Weg abkommen. Sie würden trotzdem naß werden, sich verspäten und nie mehr allein in den Wald gehen dürfen. Da gehen sie wieder nach Hause und beschließen, am Donnerstag allein in den Wald zu gehen. Sie haben Pech, in dieser Woche entfällt der Donnerstag.

Inhalt

Wie die Rede auf den Tod kommt 7

Afrika 15

Die Kernfrage 22

Der Leichenschmaus 25

Als die Wünsche noch an den Bäumen hingen 29

Die Rolle der Puppen 34

Diese Schlange hat einen anderen Ringler 39

Windspiele 43

Die Verirrung 51

Habt ihr schon von Herrn Hamelin gehört? 59

Gute Nacht, lieber Bruder 63

Der Bericht 69

Wie eine Geschichte zur anderen ›du‹ sagt 74

Den Mann im Mond singen hören 81

Die Wildnis 86

Das bessere Leben 96

Was es mit einem Wort auf sich hat 103

Heiße Spuren 110

Viele schöne Kinderspiele . . . 115

Von Barbara Frischmuth
erschienen im Suhrkamp Verlag

Die Klosterschule. Erzählung. 1968
Amoralische Kinderklapper. Geschichten. 1969
Das Verschwinden des Schattens in der Sonne. Roman. 1973

st 210 Maxim Gorkij, Unzeitgemäße Gedanken über
Kultur und Revolution. Herausgegeben, kommentiert
und mit einem Nachwort von Bernd Schulz
368 Seiten
Von April 1917 bis Juni 1918 schrieb Gorkij systematisch
für die Öffentlichkeit: Reden, Rezensionen, Appelle, Skizzen, Leitartikel. Er zweifelte am Sieg des russischen
Proletariats; er stimmte gegen die These von der Konterrevolution; er definierte das Verhältnis der Intelligenz
zur Revolution; er schrieb einen Aufruf an die kriegsmüden Völker für das Jahr 1918 und blieb bis zum
Verbot der Zeitung Novaja Žizn, in der er seine Beiträge veröffentlichte, im Juli 1918 ein unbestechlicher
Beobachter des Zeitgeschehens.

st 211 Hermann Hesse, Ausgewählte Briefe
Zusammengestellt von Hermann Hesse und Ninon Hesse
568 Seiten
Die vorliegende Auswahl enthält vorwiegend solche
Briefe, in welchen Hesse grundsätzlich Stellung nimmt
zu den Problemen der Zeit, zum Spannungsverhältnis
zwischen Individuum und Gesellschaft, zu Fragen der
Politik, der Religion, der Kunst und der Psychologie.
Die Mehrzahl der hier gedruckten Briefe ist – um Duplizität zu vermeiden – nicht in die dreibändige Edition
der *Gesammelten Briefe* aufgenommen worden.

st 212 Joseph Goldstein, Anna Freud, Albert J. Solnit
Jenseits des Kindeswohls
Mit einem Beitrag von Spiros Simitis
160 Seiten
»Kindeswohl« ist ein Vormundschaftsrichtern ebenso wie
Sozialarbeitern, Psychologen oder Mitarbeitern von Jugendämtern überaus geläufiger Begriff. Ausgangspunkt
für die Verfasser sind Fälle, in denen sich die Interessenkonflikte aufdrängen, von der Adoption über die Zuteilung von Kindern nach der Scheidung bis hin zu allen
anderen Situationen, in deren Mittelpunkt die Unterbringung des Kindes steht. Die Arbeitsmaxime: der Versuch, den Konflikt aus der Perspektive des Kindes zu

sehen, sein Zeitgefühl in den Vordergrund zu stellen und damit Lösungen zu vermeiden, die zu nachhaltigen Schäden für das Kind führen.

st 213 Alexander Mitscherlich, Toleranz – Überprüfung eines Begriffs. Ermittlungen
192 Seiten
In seinen Aufsätzen geht es Mitscherlich um die Opfer gesellschaftlicher Aggression, um die Nichtangepaßten, denen Toleranz in dieser Gesellschaft versagt wird. Mitscherlich vertritt das Postulat einer toleranten Haltung gegen jenen barbarischen Konformitätsdruck, der das einzelne Individuum um beinahe jeden Preis der gewaltsamen Kontrolle abstrakter Normen und rigider Anpassungsleistungen zu unterwerfen trachtet. »Toleranz«, schreibt der Autor in seinem programmatischen Titelaufsatz, »ist das Ertragen des Anderen in der Absicht, ihn besser zu verstehen.«

st 214 Karl Otto Conrady, Literatur und Germanistik als Herausforderung. Skizzen und Stellungnahmen
288 Seiten
In seinem einleitenden Aufsatz »Notizen über den Umgang mit Literatur« versucht Conrady, das Interesse an Literatur, ihre Funktion in der Gesellschaft und die wissenschaftliche Analyse der schönen Kunst zu begründen. Die weiteren Aufsätze, in denen er sich mit der Lyrik Goethes oder dem Brechtschen Realismus auseinandersetzt, sind beispielhaft für seinen Interpretationsansatz in der Erkenntnis der ästhetischen Form und der sozialen Wirklichkeit von Literatur.

st 215 Stephan Hermlin, Lektüre. 1960–1971
232 Seiten
Die hier versammelten Aufsätze sind Reflexionen über Gelesenes von unterschiedlichster Art. Was Ambrose Bierce und Franz Fühmann, Mozart und Hölderlin, Karl Kraus, Bobrowski, Attila József miteinander verbindet, ist weder Zeit noch Kategorie, sondern ihres Lesers Selbstverständnis, mit Literatur umzugehen. Die erzählerische Qualität des Autors, sein Wissen um Zeit und Geschichte lassen klare, bewegende Porträts entstehen, die den Leser zur Lektüre führen und verführen.

st 216 Ernst Penzoldts schönste Erzählungen
Ausgewählt von Volker Michels
256 Seiten
Dieser Band versammelt die schönsten der kürzeren Erzählungen Penzoldts, u. a. *Etienne und Luise, Corporal Mombour, Mit Kindesaugen, Der Delphin, Olifant.* Hermann Hesse hat Penzoldt einen »legitimen Nachkommen des Verfassers des Schelmuffsky« genannt, »einen Humoristen mit der lachenden Träne im Wappen, nicht einen Witzemacher«.

st 217 Arthur Waley, Lebensweisheit im Alten China
Aus dem Englischen von Franziska Meister-Weidner
224 Seiten
Waley, Nestor der englischen Sinologie, will mit diesem Buch drei Wege des Denkens weisen: den taoistischen, auch poetischen des Chuang Tzu; den konfuzianischen, auch moralisierenden des Meng Tzu (oder Mencius); den legalistischen, auch rechtspragmatischen des Han Fei Tzu. Seit die Volksrepublik China 1973 sowohl Konfuzius und seine Schüler (wie Mencius) als auch die sogenannten, sich letztlich auf Han Fei Tzu berufenden Legalisten ins Zentrum der politischen Diskussion rückt, können diese vornehmlich politischen Texte für aktuell, ja brisant gelten.

st 235 Uwe Johnson, Eine Reise nach Klagenfurt
112 Seiten
In Klagenfurt hat Ingeborg Bachmann ihre Kindheit erlebt; ist diese Zeit noch zu finden in der Stadt von heute? Danach zog sie vor, zu leben in Rom und anderswo; was für Einladungen bietet Klagenfurt? Zitate von Ingeborg Bachmann lösen die Recherchen Uwe Johnsons aus, das Zusammenspiel beider Elemente illustriert die Spannung zwischen den beiden Orten. In Rom starb Ingeborg Bachmann am 17. Oktober 1973; in Klagenfurt ist sie begraben.

st 238 Dietrich Hofmann (Hrsg.), Schwangerschaftsunterbrechung. Aktuelle Überlegungen zur Reform des § 218
352 Seiten
Dem vorliegenden Band geht es darum, der Vielfalt und der Unterschiedlichkeit der Auffassungen Rechnung zu

tragen, welche die Position der verschiedensten Berufe, Kräfte und Gruppierungen unseres Landes kennzeichnen. Der Anspruch auf Sachlichkeit basiert auf der Klarstellung naturwissenschaftlicher, medizinischer Erkenntnisse, der Erkenntnisse eines Juristen, eines Moraltheologen, eines Soziologen und eines Psychiaters.

st 239 Bis hierher und nicht weiter
Ist die menschliche Aggression unbefriedbar?
Zwölf Beiträge. Herausgegeben von Alexander Mitscherlich

»Mitscherlich und mit ihm die Autoren dieses Bandes sehen heute die Aufgabe vor sich, jenseits aller ›Kollektivierungsmethoden‹ mit ihrem äußeren Feindbild und jenseits aller Tabuisierung durch herrschende Gruppen den einzelnen über seine Aggressionen aufzuklären, ihn erst einmal so weit zu bringen, daß er die Aggression erkennt, sie zugibt, mit ihr zu leben lernt . . . Das Ergebnis ist ein Buch, in dem wie niemals zuvor die gegenwärtige Diskussion zusammengefaßt ist.« *Karsten Plog*

Alphabetisches Gesamtverzeichnis der
suhrkamp taschenbücher

Achternbusch, Alexander-
schlacht 61

Adorno, Erziehung zur
Mündigkeit 11

- Studien zum autoritären
Charakter 107

- Versuch, das ›Endspiel‹ zu
verstehen 72

- Zur Dialektik des Engage-
ments 134

Aitmatow, Der weiße Dampfer
51

Alfvén, M 70 – Die Menschheit
der siebziger Jahre 34

- Atome, Mensch und
Universum 139

Allerleirauh 19

Alsheimer, Vietnamesische
Lehrjahre 73

Artmann, Grünverschlossene
Botschaft 82

- How much, schatzi? 136

von Baeyer, Angst 118

Bahlow, Deutsches Namen-
lexikon 65

Becker, Eine Zeit ohne
Wörter 20

Beckett, Warten auf Godot
(dreisprachig) 1

- Watt 46

Materialien zu Becketts »Godot«
104

Benjamin, Über Haschisch 21

- Ursprung des deutschen
Trauerspiels 69

Bernhard, Das Kalkwerk 128

- Frost 47

- Gehen 5

Bilz, Neue Verhaltensforschung:
Aggression 68

Blackwood, Das leere Haus 30

Bloch, Naturrecht und menschliche Würde 49

- Subjekt–Objekt 12

- Vorlesungen zur Philosophie
der Renaissance 75

- Atheismus im Christentum 14

Brecht, Geschichten vom Herrn
Keuner 16

Bertolt Brechts Dreigroschen-
buch 87

Bond, Die See 160

- Frühe Stücke 201

Broch, Barbara 151

Broszat, 200 Jahre deutsche
Polenpolitik 74

Buono, Zur Prosa Brechts.
Aufsätze 88

Butor, Paris–Rom oder Die
Modifikation 89

Chomsky, Indochina und die
amerikanische Krise 32

- Kambodscha Laos Nord-
vietnam 103

- Über Erkenntnis und Freiheit
91

Der andere Hölderlin. Materialien zum »Hölderlin«-Stück
von Peter Weiss 42

Der Friede und die Unruhe-
stifter 145

Dolto, Der Fall Dominique 140

Döring, Perspektiven einer
Architektur 109

Duddington, Baupläne der
Pflanzen 45

Duras, Hiroshima mon amour
112

Eich, Fünfzehn Hörspiele 120

Enzensberger, Gedichte 1955–
1970 4

Ewald, Innere Medizin in Stich-
worten I 97

- Innere Medizin in Stich-
worten II 98

Ewen, Bertolt Brecht 141

Fallada/Dorst, Kleiner Mann –
was nun? 127

Freisprüche. Revolutionäre vor Gericht 111
Frijling-Schreuder, Wer sind das – Kinder? 119
Frisch, Dienstbüchlein 205
– Stiller 105
– Stücke 1 70
– Stücke 2 81
– Wilhelm Tell für die Schule 2
Fromm/Suzuki/de Martino, Zen-Buddhismus und Psychoanalyse 37
Fuchs, Todesbilder in der modernen Gesellschaft 102
Goma, Ostinato 138
Grossmann, Ossietzky. Ein deutscher Patriot 83
Habermas, Theorie und Praxis 9
– Kultur und Kritik 125
Habermas/Henrich, Zwei Reden 202
Hammel, Unsere Zukunft – die Stadt 59
Handke, Chronik der laufenden Ereignisse 3
– Der kurze Brief 172
– Die Angst des Tormanns beim Elfmeter 27
– Ich bin ein Bewohner des Elfenbeinturms 56
– Stücke 1 43
– Stücke 2 101
– Wunschloses Unglück 146
– Die Unvernünftigen sterben aus 168
Henle, Der neue Nahe Osten 24
Hentig, Magier oder Magister? 207
Hesse, Glasperlenspiel 79
– Klein und Wagner 116
– Kunst des Müßiggangs 100
– Lektüre für Minuten 7
– Unterm Rad 52
– Peter Camenzind 161
– Der Steppenwolf 175
Materialien zu Hesses »Glasperlenspiel« 80
Materialien zu Hesses »Steppenwolf« 53

– Eine Werkgeschichte von Siegfried Unseld 143
Hobsbawm, Die Banditen 66
Hortleder, Fußball 170
Horváth, Der ewige Spießer 131
– Ein Kind unserer Zeit 99
– Jugend ohne Gott 17
– Leben und Werk in Dokumenten und Bildern 67
– Sladek 163
Hudelot, Der Lange Marsch 54
Jakir, Kindheit in Gefangenschaft
Johnson, Mutmaßungen über Jakob 147
– Das dritte Buch über Achim 169
Kästner, Offener Brief an die Königin von Griechenland. Beschreibungen, Bewunderungen 106
Kardiner/Preble, Wegbereiter 165
Kaschnitz, Steht noch dahin 57
Katharina II. in ihren Memoiren 25
Koch, See-Leben I 132
Koeppen, Das Treibhaus 78
– Nach Rußland und anderswohin 115
– Romanisches Café 71
Koestler, Der Yogi und der Kommissar 158
Kracauer, Die Angestellten 13
– Kino 126
Kraus, Magie der Sprache 204
Krolow, Ein Gedicht entsteht 95
Kühn, N 93
Lagercrantz, China-Report 8
Lander, Ein Sommer in der Woche der Itke K. 155
Lepenies, Melancholie und Gesellschaft 63
Lévi-Strauss, Rasse und Geschichte 62
– Strukturale Anthropologie 15
Lidz, Das menschliche Leben 162
Lovecraft, Cthulhu 29
Malson, Die wilden Kinder 55

Mayer, Georg Büchner und seine Zeit 58

McHale, Der ökologische Kontext 90

Melchinger, Geschichte des politischen Theaters 153, 154

Minder, Dichter in der Gesellschaft 33

Mitscherlich, Massenpsychologie ohne Ressentiment 76

– Thesen zur Stadt der Zukunft 10

Myrdal, Politisches Manifest 40

Norén, Die Bienenväter 117

Nossack, Spirale 50

– Der jüngere Bruder 133

Nossal, Antikörper und Immunität 44

Olvedi, LSD-Report 38

Plessner, Diesseits der Utopie 148

Portmann, Biologie und Geist 124

Psychoanalyse und Justiz 167

Reiwald, Die Gesellschaft und ihre Verbrecher 130

Riedel, Die Kontrolle des Luftverkehrs 203

Riesman, Wohlstand wofür? 113

– Wohlstand für wen? 114

Rilke, Materialien zu »Malte« 174

Russell, Autobiographie I 22

– Autobiographie II 84

Sames, Die Zukunft der Metalle 157

Shaw, Die Aussichten des Christentums 18

– Der Sozialismus und die Natur des Menschen 121

Simpson, Biologie und Mensch 36

Sperr, Bayrische Trilogie 28

Steiner, In Blaubarts Burg 77

– Sprache und Schweigen 123

Szabó, I. Moses 22 142

Terkel, Der Große Krach 23

Unterbrochene Schulstunde. Schriftsteller und Schule 48

Walser, Das Einhorn 159

– Gesammelte Stücke 6

– Halbzeit 94

Wie, warum und zu welchem Ende wurde ich Literaturhistoriker? 60

Weiss, Das Duell 41

– Rekonvaleszenz 31

Materialien zu Weiss' »Hölderlin« 42

Wer ist das eigentlich – Gott? 135

Wendt, Moderne Dramaturgie 149

Werner, Wortelemente lat.-griech. Fachausdrücke in den biologischen Wissenschaften 64

Werner, Vom Waisenhaus ins Zuchthaus 35

Wittgenstein, Philosophische Untersuchungen 14

Wolf, Punkt ist Punkt 122

Zivilmacht Europa – Supermacht oder Partner? 137

Zur Aktualität Walter Benjamins 150